クレヨンしんちゃん

臼井儀人

Volume 5

ひまわり組

クレヨンしんちゃん

入場券《にゅうじょうけん》買《か》ってくる
どうぶつえん
オラがやりたい
社会勉強《しゃかいべんきょう》のためだやらせてあげよう
何枚《なんまい》ですか?
オラと父《とう》ちゃんと母《かあ》ちゃん
父《とう》ちゃんは酒《さけ》ぐせが悪《わる》くて母《かあ》ちゃんは便秘《べんぴ》ぎみ
家族紹介《かぞくしょうかい》はいいの!!
さ行《い》こ
売店
おみやげ
お
これ買《か》って
だめ!!だいたい動物園《どうぶつえん》に来《き》て なんでアクション仮面人形《かめんにんぎょう》買《か》わなきゃいけないの
おいいねこれ
さ行《い》こ行《い》こ
ネックレス半額

かわいい
うん かわいい
どこ 見《み》てんの
ガ〜
パシャ
ほーーい
わざわざ ウチで 描《か》いて きたのか
見《み》て 見《み》てー
やめんか おバカ
お 変《へん》な 動物《どうぶつ》が おそうじ してる
え!? どれどれ
係《かかり》の人《ひと》 でしょ!!
す すみません でした

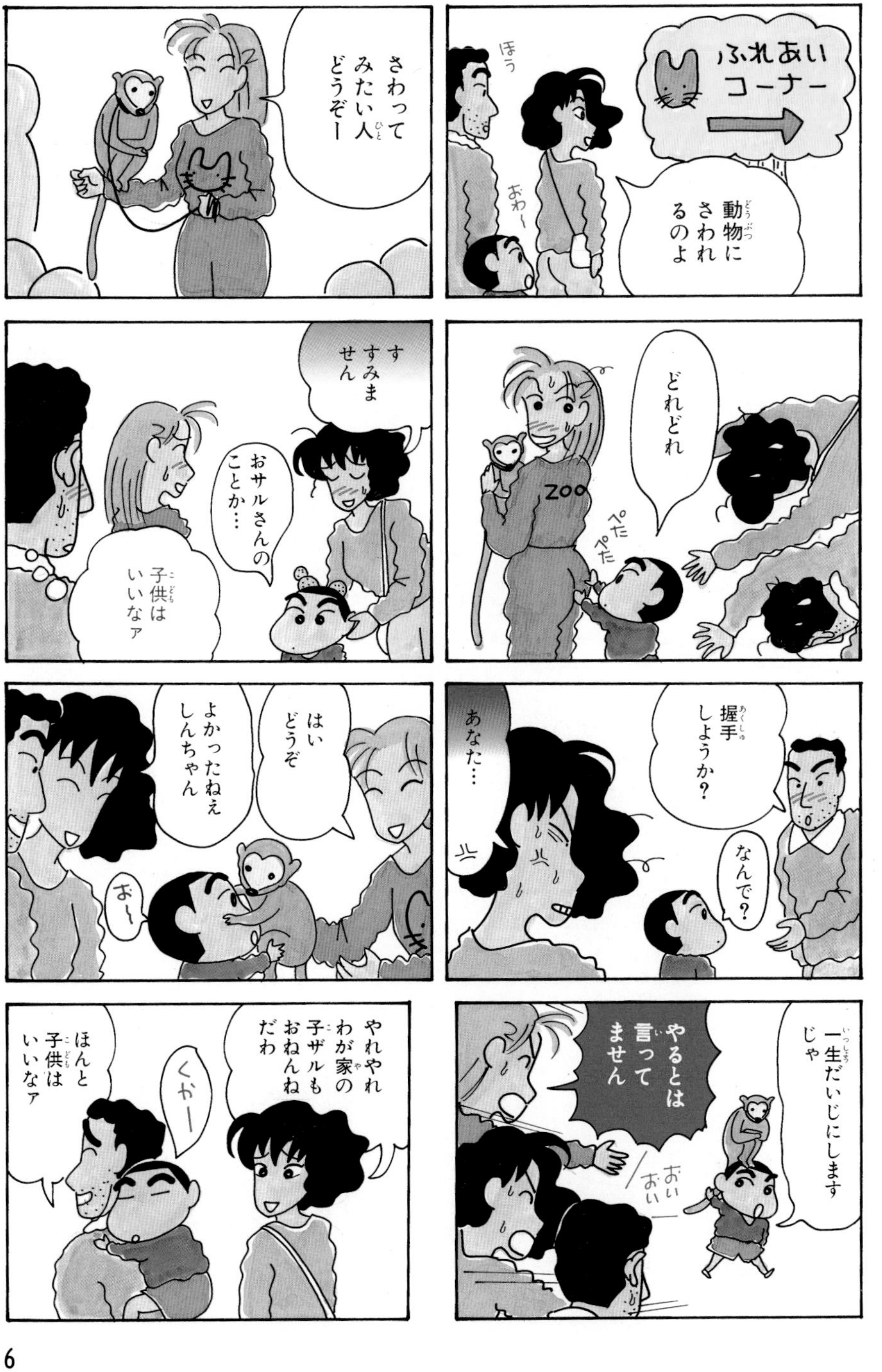
ふれあいコーナー
ほう
動物《どうぶつ》にさわれるのよ
おわ～
どれどれ
ぺたぺた
握手《あくしゅ》しようか?
なんで?
あなた…
一生《いっしょう》だいじにします じゃ
やるとは言《い》ってません
おいおい
さわってみたい人《ひと》どうぞー
すすみません
おサルさんのことか…
子供《こども》はいいなァ
はい どうぞ
よかったねえ しんちゃん
お～
やれやれ わが家《や》の子《こ》ザルもおねんねだわ
くか―
ほんと 子供《こども》はいいなァ

ひまわり組

クレヨンしんちゃん

ももたろう リハーサル シーン① おばあさんが 川《かわ》で洗《せん》たく中《ちゅう》に 桃《もも》が流《なが》れてくる!! はいスタート!!
ゴシゴシ ゴシゴシ
桃《もも》の役《やく》
ザーッ
ちょっと ちょっと!! 速《はや》すぎ
流《なが》れが はげしい川《かわ》だから
そんな設定《せってい》に しなくて よろしい!!
はい もう一度《いちど》
ゴシゴシ ゴシゴシ ゴシゴシ
ぬぅ
ほらほら 桃《もも》が 流《なが》れる音《おと》は?
あ そうか
てんぷらこ〜 てんぷらこ〜
日清 てんぷらこ〜
「どんぶらこ どんぶらこ」!! はい も1回《かい》!!
ゴシゴシ ゴシゴシ ゴ…シ… …う… うう…
うわ〜っ もうヤダーッ ゴシゴシ ばっかりゆうの つかれた〜っ
ピ〜〜ッ
だめだなァ なかしちゃってえ
わ 私《わたし》の せいかよ…

シーン④ ももたろうと 犬《いぬ》 出《で》会《あ》う!!
はい 犬《いぬ》 出《で》てくる
桃役《ももやく》 おろされた
なんの犬《いぬ》? チャウチャウ犬《けん》? ベードルマン?
なんでも ええわい!! つづけて つづけて!!
ももたろさん ももたろさん
……な・なんか用《よう》?
イラ イラ
おこしに つけた きびだんご ひとつ私《わたし》に 下《くだ》さいな!!
台本
こ 今年《ことし》 見《み》つけた ニキビづら ひとつタワシに 臭《くさ》いな
セリフが 長《なが》くて しんのすけには 無理《むり》ですよ
じゃ 無口《むくち》な 犬《いぬ》ってことに…
できません!!
しかたない こうなったら しんちゃんには…
台本
え!? おしばいの おけいこ?
これが…?
「鬼《おに》が島《しま》の 木《き》の役《やく》」…… ですって……

クレヨンしんちゃん大図解《だいずかい》!!

●頭《あたま》すっきりモテモテヘア!!

いま、巷《ちまた》の女子高生《じょしこうせい》の間《あいだ》で超人気《ちょうにんき》のボーズ頭《あたま》さわやかで清潔《せいけつ》で男《おとこ》らしくってかっちょいいしんちゃんヘアスタイルに、キミもしてみない？

●しんちゃんの瞳《ひとみ》にはナニが写《うつ》ってるの？

かわいい女《おんな》のコなら決《けっ》して見逃《みのが》さない天才的《てんさいてき》な視力《しりょく》を持《も》つ目《め》。また、オトナたちの弱点《じゃくてん》を見《み》つけるのも大得意《だいとくい》。ただしイヤなものがあるとぜんぜん見《み》えなくなるので要注意《ようちゅうい》!?

●一度《いちど》のぞいてみたい!!

ナニを考《かんが》えているのか解読不可能《かいどくふかのう》。だが、時空《じくう》を超《こ》えた想像力《そうぞうりょく》を持《も》つらしい。あわせもつあくまでマイペースな思考法《しこうほう》がオトナたちを幻惑《げんわく》させる。天才的頭脳《てんさいてきずのう》とのウワサもあるがIQ未知数《みちすう》。

●しんちゃんの耳《みみ》にも念仏《ねんぶつ》!!

お小言《こごと》は右《みぎ》から左《ひだり》へ、おつかいなどのママの用事《ようじ》には、すぐ聞《き》こえなくなる便利《べんり》なお耳《みみ》。だが、ないしょ話にはとっても敏感《びんかん》。みんなを笑《わら》わす聞きまちがい多し。

●口《くち》から生《う》まれたしんのすけ!?

キレイなおネエちゃんに会《あ》うと自然《しぜん》に口説《くど》き文句《もんく》が出《で》てくるナンパなお口《くち》。世《よ》の男性諸君《だんせいしょくん》もぜひ見習《みなら》いたいアイテムだ。5才《さい》とは思《おも》えない言《い》いまちがい多《おお》し。コアラのマーチの食《た》べすぎのため虫歯《むしば》も多《おお》し。

●究極《きゅうきょく》のマジックハンド!?

イタズラ性能《せいのう》バツグン！その一方、おかたづけの時《とき》には優秀《ゆうしゅう》な機能《きのう》も停止《ていし》。大好きなものは握《にぎ》ったら絶対《ぜったい》にはなさない。手相を見たかぎりは百才《ひゃくさい》まで生《い》きるらしい!?

●小《ちい》さなぞうさん!?

もちろんまだコドモ。おねしょに注意《ちゅうい》!!父《とう》ちゃんはマンモス。

●小《ちい》さなボディに無限《むげん》のパワー

胃腸《いちょう》が丈夫《じょうぶ》で食慾旺盛《しょくよくおうせい》、しんちゃんの元気《げんき》の秘密《ひみつ》か!?心臓《しんぞう》に毛《け》がはえているのは確実《かくじつ》。

●半《はん》ズボンは元気《げんき》のシルシ!!

マラソン大会《たいかい》でも大活躍《だいかつやく》の健脚《けんきゃく》。ただし完走《かんそう》したことはない。ママから逃《に》げるときには120%のパワーを発揮《はっき》するが、結局《けっきょく》つかまりおしりペンペン。ギャピーッ!!

構成：柳沢智夫

オラは幼《よう》稚《ち》園《えん》の
スーパーヒーローだ編《へん》

オラは幼稚園《ようちえん》のスーパーヒーローだ編《へん》

その1

駅前派出所
すみません ○○病院《びょういん》はどこでしょう
この道《みち》まっすぐ行《い》ってつきあたりを右《みぎ》です
ありがとうございます
じー
なんだいボク
アクションようちえんはどこでしょう
この道《みち》をず～っと行《い》った左《ひだり》だよ
ピンポーンピンポーンすばらしい～
パチパチパチパチ
私《わたし》はクイズ王《おう》じゃないんだよさっきの人《ひと》も道《みち》を聞《き》いてただけなの!!
用《よう》がないなら帰《かえ》りなさい
オラまいごなの
ずいぶん余裕《よゆう》のあるまいごだな…

で お名前《なまえ》は?
こんな所《とこ》で 立《た》ち話《ばなし》も なんだから 中《なか》に入《はい》って ジュースでも のみながら
ね
ほんとに まいご…?
お名前《なまえ》は?
野原《のはら》 しんのすけ 5才《さい》です
シュミは 行《ゆ》き倒《だお》れごっこ 好《す》きな言葉《ことば》は 「平熱《へいねつ》」です!!
聞《き》いてないって パパのお名前《なまえ》は ?
父《とう》ちゃんの おなまえは… 野原《のはら》… ナントカ…
じゃ ママは?
あれ?? う〜〜 みさえの おなまえ なんだっけ…?
「野原《のはら》 みさえと」…?
電話番号《でんわばんごう》は?
048の7…
それはここの!! 私《わたし》が知《し》りたい のは 君《きみ》んちの番号《ばんごう》!!
さては オラんちに 電話《でんわ》して みのシロ金《きん》 もらう気《き》だな〜
誰《だれ》か 助《たす》けて〜

いててて
おまわりさん この人《ひと》チカンです
なにっ
ぬねの!!
いや ちがうんです
くわしい話《はなし》は ゆっくり 聞《き》こう!!
どうぞ
ど・どーも
お茶《ちゃ》でも 入《い》れましょうか デカチョー
まいごくんも すわってて
道歩《みちある》いてたら とつぜん この人《ひと》が おしり さわって
ほうほう
いやそれが あの…
ふむふむ
つき合《あ》ってる 彼女《かのじょ》にうしろ姿《すがた》が そっくりだったので まちがって いつもの調子《ちょうし》で パッと…
ピチピチ してた?
はあ?
君《きみ》は だまって なさい!!
おまわりさん うちの子《こ》が まいごに〜っ
う また来《き》た…
みさえ センパイ
おおっ 母《かあ》ちゃん
どこ行《い》ってたの しんのすけ〜っ おバカ
久《ひさ》ぶりね〜ミッチ〜 元気《げんき》だった?
センパイ チカンに あっちゃって ほらこいつ!!
ですから ボクは ほんとの チカンじゃなくて
デカチョー かつ丼《どん》 食《た》べたい
誰《だれ》か助《たす》けて…

オラは幼稚園《ようちえん》のスーパーヒーローだ編《へん》

その2

いらっしゃいませ
何《なに》をおさがし
ですか?
いい女《おんな》
んなもん
さがすな
5才児《さいじ》が
秋冬《あきふゆ》で着《き》られるような
のを……
それでしたら
このへんが
よろしいですわ
ちょっと
私《わたし》には
きついサイズ
かも……
ベテラン店員《てんいん》
川村《かわむら》はつ子《こ》(49)
「女郎《じょろう》ぐものはつ子《こ》」と呼《よ》ばれている
あら
奥《おく》さま
とても
スリム
ですわ
まあ
そうかしら
ホホホ
ムカッ
おせじ
だよ
わ わかっとるわい
ち もうちょいで
買《か》いそうだったのにー
ボクぅ
あそこに
いい女《おんな》の
マネキン人形《にんぎょう》が
あるわよォ
どこどこ
?
な
情《なさ》けない
……
ジャマ
者《もの》は
消《け》した
やっぱり
これだとハデすぎる
かなァ
奥《おく》さまの
ように
お若《わか》い方《かた》なら
これが
ピッタリ
ですわ
まあ
うれしい
ホホホ
としまの
若《わか》づくり
ボッ
なんですってえーっ
ボーッ
だまっとれ
この
ガキャーッ
チーフが
燃《も》えてる

数十分後《すうじゅっぷんご》……
ちょっと試着《しちゃく》してみよ
試着室
ざっ
う～む
すみません すみません
よく ぬがせられたなァ～
たいへんだな
たのむから ゆっくり 服選《ふくえら》びさせて
えんりょしないで えらべば
試着室
オラも入《はい》っていい？
えー!? せまいから ダメよ
そこで待《ま》ってて
母《かあ》ちゃんが心配《しんぱい》だから いっしょに入《はい》る!!
どんっ
うっ
で――っ
とん とん とん
お元気《げんき》出《だ》して また行《い》こうね
やだ……

オラは幼稚園《ようちえん》のスーパーヒーローだ編《へん》

べろんべろん
ぐでんぐでん

その3

すってん すってん コーロコロ ♪
たたた
すってん コロリン ころんだら ♪
おしりが パックリ われちゃった ♪
べろ
あ ふりふり しりふり マ〜チ〜 ♪
ぷり ぷり ぷり ぷり
玄関先《げんかんさき》で おバカな歌《うた》 うたってないで 早《はや》くお入《はい》り!!
しんちゃん 「ただいま」は?
みさえ 「おかえり」は?
お・か・え・り〜
ぐら ぐら ぐら
た・だ・い・ま〜

のど かわいた
なんかのみたい
その前《まえ》にうがい
ぷくー
なんなの
その顔《かお》は!!
文句《もんく》あんの!!
ガラガラ
ガラガラ
うがいした
のどかわいた
水道《すいどう》ひねれば
お水《みず》出《で》るから
好《す》きなだけ飲《の》めば
ケラケラ
中年《ちゅうねん》かいじゅう
コジワ
グサッ
近ごろ
気にしてる
母《かあ》ちゃんの
おバカ
お
「ジュース
みたいな
お‥‥」
ジュース
みたいな
お酒
ストロベリー
カクテル
アルコール分4%
へんな
おなまえの
ジュース
ゴキュゴキュ
ゴキュ
5才児の
イッキのみ〜

近《ちか》ごろほんとに反抗的《はんこうてき》なんだからったく…もっときびしくしよ
しんのすけーっ おもちゃ おかたづけ したの？
ピシーッ
し してある ……
おもちよ ぼこ
ビシ
ふとんも ようちえんの 用意《ようい》も… 完《かん》ペキだわ
ママ おてつだい することありますか？
えーーーっ
その言葉《ことば》をママはどれほど待《ま》ったことか
しんちゃん!! 真《まこと》のよいこになってくれたのね
ひしっ
?!
ひく ひく
酒《さけ》くせえ ………
おそうじしましょうか 肩《かた》たたきしてあげるよ ママ
べろん べろん
じでん じでん
これか……
ジュースみたいなお酒
うーー 頭《あたま》ガンガン
ほんとのよい子《こ》はお酒《さけ》なんかのんじゃダメだぞ

オラは幼稚園《ようちえん》のスーパーヒーローだ編《へん》

その4

じゃ
おねがいしまーす
タクシーたのんだから
来《き》たら運転手《うんてんしゅ》さんに
「ここですよー」って
合図《あいず》してあげて
ほーーー‼
その間《あいだ》に
私《わたし》はお化粧《けしょう》を
ほーい
ほーい
あら
もう来《き》たの⁉
ぬり
ぬり
ほ〜いかのじょ
ひとり？
牛乳《ぎゅうにゅう》のまない？
すたたた
ったく…
ほーい
ほーい
TAXI

どちらまで?
でんしゃ!!
しりとりじゃないっつの
川口《かわぐち》の○○町《ちょう》まで
へい
ぼうやママとお出《で》かけうれしいだろ
ピチピチギャルといっしょならうれしいけど
悪《わる》かったわねピチピチしてなくて…
ハハ…
うんてんしゅさんはお仕事《しごと》なにしてんの?
これが仕事《しごと》だよアハハハ
おーだから運転《うんてん》じょうずなのかあ
ありがとよ
オラの母《かあ》ちゃんはすね毛《げ》そるのじょうずだよ
あありがとよ……
ハハ…
お仕事《しごと》たいへん?
んまあね
でもねお客《きゃく》さんを安全《あんぜん》に目的地《もくてきち》まで送《おく》ることがオジさんの使命《しめい》だからつかれてもいっしょうけんめい運転《うんてん》してるのさ
いい事《こと》ゆうなァ今日《きょう》のオレ……
じーん
しまった今日《きょう》スーパーの特売日《とくばいび》か
おおっアクション仮面《かめん》ぬいぐるみ!!
ぜんぜん聞《き》いちゃいねえ…
ハハ…

へえええ〜〜〜 きもちわるい〜
「げー」ってはきそお?
うううん
じゃよかった
でも「おえーっ」てはきそ
同《おな》じだっつの
どこか止《と》めましょうか
バックかして
でーっちょっと待《ま》ってえ
あの店《みせ》でトイレ借《か》りましょう
アクションバーガー
まだよまだまだ
ばっ
TAXI
いらっしゃいませー
すみませんあの〜〜〜
てりやきバーガーとポテトとアクションシェイク!!
ガッンッ
おなかすいてたのね…ハハ……
おさわがせしました……
パクパクムシャムシャ

オラは幼稚園《ようちえん》のスーパーヒーローだ編《へん》

その5

しんのすけーっ
しんのすけーっ
なーにー?
あんた最近《さいきん》またシロのおさんぽなまけてるわね
なまけてないもん
シーズンオフだから休《やす》んでるだけだもん
犬《いぬ》のさんぽにシーズンオフもくそもないの!! さっさとおゆき!!
シロ おさんぽ いく?
キャン キャン♪
え? ぐあい悪《わる》いの? ほう そうか じゃ また
なにひとりごと言《い》ってんの
いってらっしゃい!!

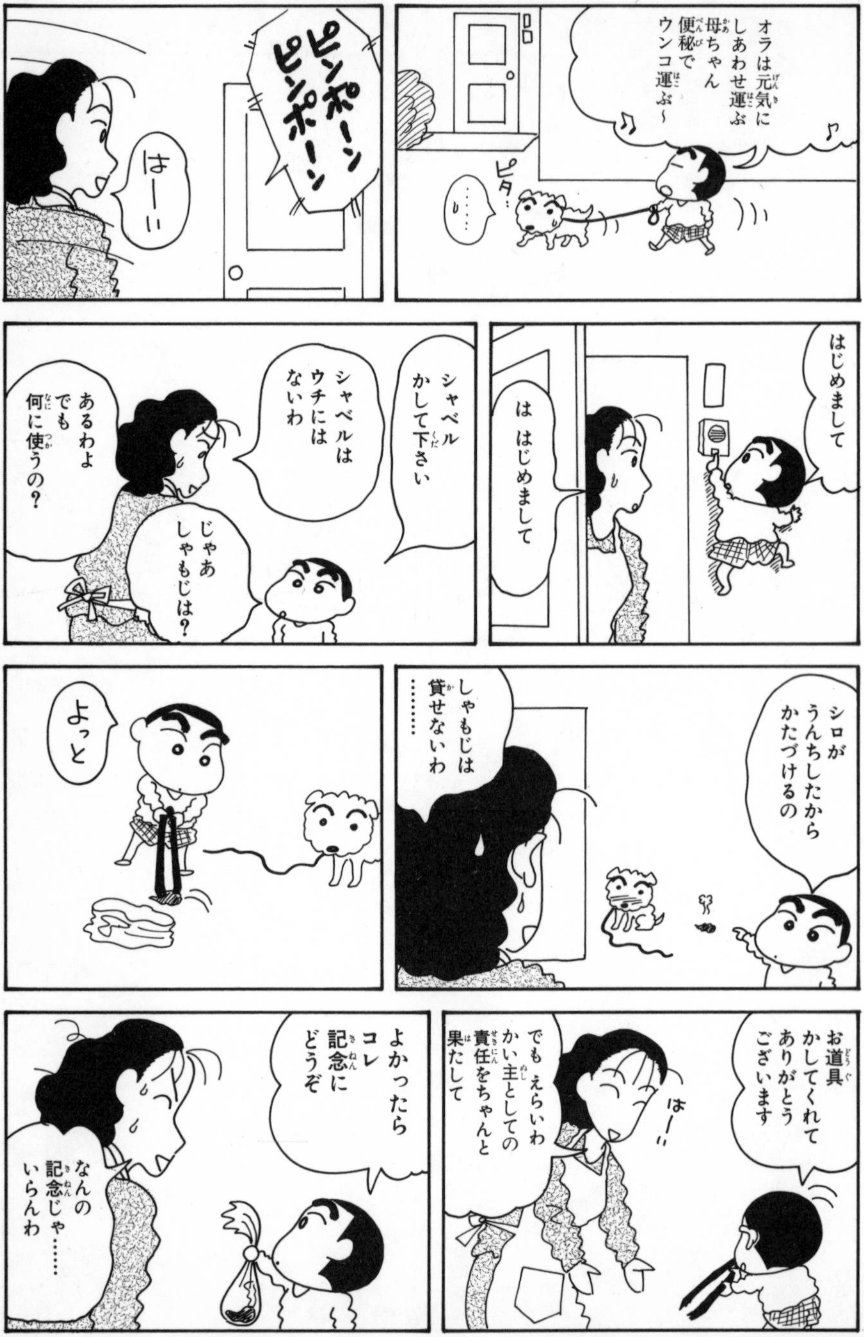

オラは元気《げんき》に しあわせ運《はこ》ぶ 母《かあ》ちゃん 便秘《べんぴ》で ウンコ運《はこ》ぶ～ ♪ ♪
ピタ…
……
ピンポーン ピンポーン
はーい
はじめまして
は はじめまして
シャベル かして下《くだ》さい
シャベルは ウチには ないわ
じゃあ しゃもじは？
あるわよ でも 何《なに》に使《つか》うの？
シロが うんちしたから かたづけるの
しゃもじは 貸《か》せないわ ………
よっと
お道具《どうぐ》 かしてくれて ありがとう ございます
はー!!
でも えらいわ かい主《ぬし》としての 責任《せきにん》をちゃんと 果《は》たして
よかったら コレ 記念《きねん》に どうぞ
なんの 記念《きねん》じゃ…… いらんわ

やあ
ばう
やー
あんただれ?
ようちえんばら組《ぐみ》のチーターこと河村《かわむら》さまだ!!わすれるとはぶれいなヤツだ
ところで ふっ 君《きみ》も犬《いぬ》を飼《か》っていたのか
ふっ きみも犬《いぬ》をくっていたのか
マネするな!!それに『くって』じゃなくて『かって』だ!!
ふん おまえの犬《いぬ》はこんなことできまい
ジャクソン お手《て》!!
ぱっ
シロ おしっぽ
ピト
おすわり
ちんちん
ぱっ
ぱっ
おねんね
ちんちん かいかい
ゴロン
ポリポリ
ララ…
わたあめ
くるくる
がらん
ま 負《ま》けた…
だめだ だめだ わたあめになってないぞ ジャクソン!!
何《なに》かあったの? やすおちゃん

オラは幼稚園《ようちえん》のスーパーヒーローだ編《へん》

その6

日曜《にちよう》の朝《あさ》
チュンチュン
チチ…
ほーくったくった
おーい お茶《ちゃ》ちゃ
親《おや》に向《む》かって なんですか!! その言《い》い方《かた》は
じゃなんて 言《い》えば いいの?
『お茶《ちゃ》を 入《い》れて下《くだ》さい 美人《びじん》のママ』よ
お お茶《ちゃ》ちゃ いれて下《くだ》さい びじんのママ
たまには 自分《じぶん》で入《い》れなさい オーッホホホ
ケラケラ
ホ…
ずん胴《どう》
ぷ

うぬ……
く〜〜
あかない〜〜〜
おわ
ぽかっ
ばららら
ちゃんと入《い》れられた？
ゲッ
だいじょうぶ 今《いま》そうじしてるから
ガー〜
だいじょうぶじゃないっての 初《はじ》めて買《か》った最高級《さいこうきゅう》煎茶《せんちゃ》が〜
だいじょうぶ オラの分《ぶん》はあるから
そりゃよござんしたね
ちゃ ちゃ ちゃ
お茶
そーいや七五三《しちごさん》シーズンだなァ
○○デパート
七五三フェア
ウチはどーする？ 高《たか》いお金《かね》出《だ》して着飾《きかざ》ってもしょうがないしねえ
パパとママにも入《い》れてねー
ほーーい
こぽぽぽ
記念《きねん》に家族《かぞく》写真《しゃしん》ぐらい撮《と》るか
そうね 子供《こども》のかわいい姿《すがた》は残《のこ》しておきたいし
う〜
じょぼぼぼぼ
そーゆー入《い》れ方《かた》はやめてね
かわいい姿《すがた》か……

おはよーございまーす
あら 全員《ぜんいん》で お出《で》かけ? どちらへ?
家族《かぞく》で きねんの ヌード写真《しゃしん》を とりに
ち ちがうだろ
ふつうの写真《しゃしん》です ほら七五三《しちごさん》だから…
し 信《しん》じて!! 私《わたし》の目《め》を見《み》て!!
わかった わかったって
ねぎ村《むら》写真《しゃしん》スタジオ
では ご両親《りょうしん》は そこにすわって お子《こ》さんは まん中《なか》で……
おけつ 出《だ》す?
出《だ》さなくて いいです ふつうに してて 下《くだ》さい
よし!! では そのままで
じゃ 撮《と》りますよォ
スライス チーズ
ぜったい 動《うご》かないで 下《くだ》さい
しんぞうも?
おだまり!!
パシャ
パシャ
ちとせあめ

オラは幼稚園《ようちえん》のスーパーヒーローだ編《へん》

その7

むかしむかし
埼玉県《さいたまけん》春日部市《かすかべし》に
ひろしとみさえという
夫婦《ふうふ》が おったそうな
ある日《ひ》 ひろしは
山《やま》へ しば刈《か》りに
みさえは
川《かわ》へ 洗《せん》たくに出《で》かけた
どんぶらこ
どんぶらこ
あら
こんな
大《おお》きな
桃《もも》なら
しばらく
家計《かけい》が
助《たす》かるわ
家《いえ》へ帰《かえ》って
割《わ》ってみると
中《なか》から
男《おとこ》の子《こ》が
よ
ぎゃ〜ぴ
ぎゃ〜ぴ
おなか
すいてるんだ
私《わたし》の
オッパイのむ?
小《ちい》さいから
いいや
牛乳
ちょうだい!!
ホットでね
むかっ
なんで
すってぇ
まあ
まあ まあ
男《おとこ》の子《こ》は「しんのすけ」と名《な》づけられ
2人《り》に育《そだ》てられました

やがて 成長《せいちょう》した しんのすけは 毎日《まいにち》 町《まち》へ出《で》て ナンパしてた そうな
ねえねえ彼女《かのじょ》 ほうれん草《そう》 スキ?
んなこと してるひま あったら 鬼《おに》が島《しま》へ 鬼退治《おにたいじ》に 行《い》っといで!!
鬼退治 ボランティア 募集!
えー?!
鬼退治 ボランティア 募集!
鬼にさらわれた 美女を 救おう!!
行《い》く
そして旅立《たびだ》ちの日《ひ》
いって らっしゃーい
埼玉一
「いってきます」 でしょ
だいじょぶ かなァ……
しんちゃーん ボクたちも 鬼退治《おにたいじ》に 行《い》くよー
お金《かね》は 出《で》ないよ
埼玉一
埼玉カーフェリー
おっ 風間《かざま》くん どこいくの? ジュク?
ボクは ももたろう だ!! 鬼《おに》が島《しま》に 鬼退治《おにたいじ》に 行《い》くんだよ
日本一
ほう 鬼退治《おにたいじ》か たいへん だなァ
しんちゃんも 行《い》くんでしょ ……

鬼《おに》が島《しま》
きじ君《くん》鬼《おに》のようすを見《み》てきてくれ
きじ～
ばささっ
おお～
ネネちゃんきじも行《い》けー
や～～んこわくて飛《と》べな～～い
じゃマサオサルくん飛《と》べ
ムチャゆうなよ
君《きみ》らは何《なに》もしなくていいよ
コラーッオレの島《しま》で何《なに》をしてるーっ
おー
うわああ
あんなに大《おお》きい鬼《おに》だったのか～っ
ぎゃ～～ん
でもちっちゃいぞうさん
パシャパシャパシャ
わっわっどこ写《うつ》してんだ
これしゃっぱんしゅに持《も》ってゆこう
わーーっオレが悪《わる》かった人質《ひとじち》は返《かえ》すから～～
フィルム入ってない
彼女《かのじょ》がほしかったんだよだからオレ……
岡本夏生《おかもとなつき》の写真集《しゃしんしゅう》あげるからぶよぶよしないでね
くよくよだろ
ありがとしんちゃん
おおっ
Chu
わはははでめたしでめたし
クスどんな夢《ゆめ》見《み》てるのかしら

オラは幼稚園《ようちえん》のスーパーヒーローだ編《へん》

その8

今日《きょう》は何《なん》のご用《よう》?ボクぅ
おかまいなく
ベストセラーコーナー
このへんにするか
?
がさごそ
どさ
ちょっとちょっとちょっとそこに勝手《かって》に置《お》かないで
ぶりぶりざえもんのぼうけん②
ゲームの達人 28号
オラがかいたえほん「ぶりぶりざえもんのぼうけん②」売《う》ってもらおうと思《おも》って
へえーストーリーできたの?見《み》せて見《み》せて見せて
ただ読《よ》みはダメ
アメでいい?
ちゅっぱちゅっぱ
なかなかいい出《で》だしね
やぁ
むかしむかしぶりぶりざえもんがおったそうな
じゃ
でめたしでめたし
おしまい
ずるっ
かんそうは?
ひじょうにテンポの良《よ》い作品《さくひん》でした
じゃ ここに置《お》いていい?
あのね本屋《ほんや》さんで売《う》る本《ほん》はちゃんと出版社《しゅっぱんしゃ》で作《つく》った本《ほん》じゃないとダメなのよだから…
本体《ほんたい》かかくは5おく万円《まんえん》で売《う》ってね
人《ひと》の話《はなし》をぜんぜん聞《き》かない子《こ》だね

ぼうやが 何《なに》か しでかさぬうちに 追《お》い返《かえ》せ
ラジャー
パ
パ
パ
お母《かあ》ちゃん
パーマ屋《や》さん かなり 混《こ》んでる も少《すこ》し そこで待《ま》て
ブラジャー
パ
パ
が〜ん
親子《おやこ》 シークレット・サイン
な なんだ? なんて 言《い》ってるの !?
わ わかりません 見《み》たことも ない サインです
あとで お菓子《かし》ね
はいはい ラジャー
なんなんだ この店《みせ》は…
パ
パ
パ
パ
と とにかく マークせよ
ラジャー
パ
パ
逃《に》がすか
だっ
わっわっ
ひらり
あ
ズシーっ
でーっ
がびょう おちてた あぶないよ
あ ありがと…う
また 残業《ざんぎょう》 よろしく
パ
パ
パ

オラは幼稚園《ようちえん》のスーパーヒーローだ編《へん》

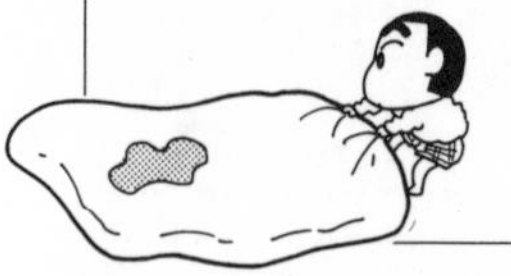

その9

ギャオ～
ゴーッ
中年《ちゅうねん》かいじゅうコジワが東京《とうきょう》であばれています
あ 国会《こっかい》をこわしてる!!
ドガン
ズシン
なんとなくスカッとするのは私《わたし》だけでしょうか!!
火事《かじ》だーっ
アクション消防隊《しょうぼうたい》出動《しゅつどう》ーっ!!
お水《みず》出《だ》していいよー
しんちゃん朝《あさ》よ起《お》きな…
くか～
んもォだらしない
プシューーッ
おわっ
ピチョーッ

ばしゃ ばちゃ
だっはっはっはっ
ぶわっはっはっはは
でーっへっへっへっ
ぎゃっはっはっはっ
ひ〜ひ〜
まあ 悪気《わるぎ》は なかったんだ ゆるして やってくれ
ガルルル
ひ〜〜
あんたが言《い》う 資格《しかく》なし!! それより さっさと オネショ布団《ふとん》 乾《ほ》しといで!!
おいしょ うんしょ
ずる ずる
うんしょ うんしょうんしょ
こらこら!! ベランダに乾《ほ》すのよ ベランダに!!
ざっ ざっ
うんせ うんせうんせ
ずる ずる
10分後《ぶんご》……
キャ キャ♪
ずるるる〜っ
日《ひ》が くれない うちに 乾《ほ》してよね
イラ イラ
ほい ほい
ずる ずる〜

うんせ ほいせ
ずる ずる
うんしょ ほいしょ
ずず
ず
うまく 乾《ほ》せたか〜？ しんのすけ
うんさ ほいさ
でーーっ
わっわっ
ずるっ
おわ
お〜〜〜 いつの間《ま》にか こんな所《ところ》に
みさえーっ みさえーっ
そのままに してろーっ
この上《うえ》に とびおりろーっ
しんちゃん 私《わたし》の かわいい しんちゃん!!
なーにー？
ずさぁぁぁぁ
今度《こんど》から ママが乾《ほ》すからね
あせ
よく のぼって これたなァ〜

オラは幼稚園《ようちえん》のスーパーヒーローだ編《へん》

その10

日曜日《にちようび》
♪〜
たたた
はっ あの足音《あしおと》は…
父ちゃん あそぼー
日曜《にちよう》ぐらい のんびり したい
父《とう》ちゃん あそぼ
くか〜 くか〜
なんだ おねんねか
コチョ コチョ コチョ
がまん がまん
ほんとに ねてるんだ
くかー くかー
ふふふ しょせん 子供《こども》よ のう
じゃ お湯《ゆ》でも かけてみよー
ぐら ぐら
あーー よくねた!! さーー 起《お》きよっと

バミトントン
やろ
バトミントンだろ
ママと
やっといで
母《かあ》ちゃんは
「父《とう》ちゃんと
やってこい」って
先《さき》こされたか…
じゃ
シロと
やっといで
シロも
「父《とう》ちゃんと
やってこい」って
言《い》うか!!
いくぞ
はい
どっからでも
おいで
とおっ
すかっ
トトト
とおっ
すかっ
ふわ〜〜あ
がっ
パシッ
お
やりや
がったな〜
こいつ
それっ
パシ
ぶんっ
とおっ
あれ?
どこいった?
オラの
ロケット…
ラケットじゃなくて
ロケットだったのか
おまえのは…
どおりで
よく飛《と》ぶわけだ…
はいよ
なに
やってんの?

とおっ
けっこうやるわね
古《ふる》いラケットあったわ私《わたし》も入《い》れて
しんのすけとチーム組《く》め
しりでまといだなオバさん
それを言《い》うなら「足手《あして》まとい」よおぼえときな
ぐり ぐり ぐり
あええええ
それ
パシッ
ほーい
しんちゃんにまかせた
とお
パシッ
じぇっ
どこ打《う》ってんのよ〜
まだ美人《びじん》だからだいじょうぶだよ
わっはっはっはっ
ケラ ケラ
よくも笑《わら》ったわねーこのっ
パシッ
すぐムキになるんだからなっ
パシッ
それは自分でしょっと
パシッ
おりゃあ
パシッ
ビシッ
おまえだ
ビュッ
このっ
バシッ
パシッ
ビシッ
シロあそぼ
翌《よく》朝《あさ》
か 体中《からだじゅう》 痛《いて》え〜〜〜 でも会社《かいしゃ》行《い》かなくちゃ
ハァ ハァ
ゼェ ゼェ
ご ごはんのしたく……うっ
おとなはたいへんだなァ〜〜〜

オラは幼稚園《ようちえん》のスーパーヒーローだ編《へん》

その11

ネネちゃん お昼《ひる》 久々《ひさびさ》に おすし 食《た》べない？
わーい ネネなっと巻《ま》きと タマゴ
最近《さいきん》 開店《かいてん》した お店《みせ》に出前《でまえ》 たのみましょ
ママは 特上
銀寿司 オープン
ボボボ
ぼうや 桜田《さくらだ》さんてゆう おうち 知《し》らない？
しらない
銀寿司
すみません 桜田《さくらだ》さんとゆう お宅《たく》は…？
ああ 桜田《さくらだ》さん なら…
あの ぼうやが いる所《とこ》よ
ネーネちゃん あーそーぼ
桜田《さくらだ》さんち 知《し》ってるじゃないか
さくらださんちは 知《し》らない
ここは ネネちゃんちだよ
桜田《さくらだ》さんの おうちでもあるの!!
どなた？
ガチャ
ちわーっ 銀寿司《ぎんずし》でーす
ちわわっ 野原《のはら》しんのすけ（5才《さい》） でーす 好《す》きな色《いろ》は濃《こ》い白《しろ》
ご ごくろうさま いらっしゃい…
で～～～ 幸《しあわ》せと不幸《ふこう》が いっぺんに来《き》た…

すみません おそくなって 家《いえ》わからな かったもんで…
オラがおしえてあげたの 「ここ ネネちゃんち だよ」って
まあ
そ そりゃまあ そうだけど…
まいど どーも
ごくろう さまァ
ごうろくなな〜っ
あんたも 帰《かえ》っていいのに
しんちゃんちも そろそろ お昼《ひる》ごはん でしょ? ママ 待《ま》ってるわよ
お そうか
へええ〜 おなかすいて 家《いえ》まで 帰《かえ》れない〜〜〜
ちっ…
ぎゅるるるるるる
ま いっか お寿司《すし》やさんに 家《うち》を 教《おし》えてくれたようだし…
よかったら ウチでいっしょに 食《た》べてく?
ま そこまで ゆうなら 食《た》べてっても いいよ
まあああ オバさん うれしいわ
ずかずか
ずん
いただき まーす
いって きまーす
しんちゃんが 食《た》べられ そうなの 取《と》って あげるね
かっぱとかんぴょ巻《ま》きでも やっとけ
自分《じぶん》で とれるー
ひょい パク
なにいっ いきなり 中《ちゅう》トロを…!!

つーーん
ぷ ざまーみろ 5才児《さいじ》に わさびは 耐《た》えられ まい
ぷはーーっ この「つ〜〜ん」と くるのがたまんないねえ
じじ くさい やつ
スゴ〜イ
さて 私《わたし》の大好物《だいこうぶつ》 イクラちゃんを…
オバさん お茶《ちゃ》ちゃ
…は!!…
高《たか》い方《ほう》の お茶《ちゃ》ちゃね
はい はい はい はい
ずん
今度《こんど》こそ イクラちゃんを…♪
いそ いそ
ない…!! イクラちゃんが 消《き》えた…!?
ん〜〜む プチプチして おいし〜〜
プッツン
イクラちゃんの 現在位置《げんざいいち》
ガルルル
ばらん
ドカン
バキッ
ずん
いつものママじゃ な〜〜い わ〜〜ん
オラ おうち帰《かえ》って お昼《ひる》ごはん 食《た》べなきゃ
じゃ

オラは幼稚園《ようちえん》のスーパーヒーローだ編《へん》

その12

アクションようちえん
社会《しゃかい》見学《けんがく》の日《ひ》
○○駅
これから電車《でんしゃ》に乗《の》りますが
くれぐれも他《ほか》の人《ひと》のめいわくにならないようにしましょ――
特《とく》に…
君《きみ》
ちら…
お先生《せんせい》が風間《かざま》くんのこと見《み》たぞ
あんただよあんた!!
まもなく電車《でんしゃ》がまいります白線《はくせん》の内側《うちがわ》におさがり下《くだ》さい
マサオくん白線《はくせん》の内側《うちがわ》におさがりください
こっちが内側《うちがわ》だよ〜
でもこっちから見《み》るとこっちが内側《うちがわ》だぞ
あぶないってーの

足元《あしもと》よく見《み》て乗《の》ってね
じーー
自分《じぶん》の足元《あしもと》見《み》てね
ピピーッ
あぶないからお顔《かお》ひっこめてね
ちら
ほい
おしりもダメ!!
ぬう
すすいませんハハハ〜〜
いーから早《はや》くひっこんで!! 1分《ぶん》遅《おく》れちゃったでしょーが!!
イライラ
しっかりしてよひまわり組《ぐみ》私《わたし》たちまで恥《はじ》かくのよ
まあまあまあ
う うるさいわねぇ〜
恋人《こいびと》できた?
うるっさいわねーっ!!
その事にふれるな
まつざか先生《せんせい》(24) 彼氏《かれし》イナイ歴《れき》24年《ねん》
みんななるべく離《はな》れてよう…

ガタン タタン
ガタン タタン
どうぞ
ありがとう
さすが 風間《かざま》くん
ほう
オラも
オラのお席《せき》へ どおぞ
もう すわってる から いいよ
どこ 行《い》くの？
パン工場《こうじょう》へ 見学《けんがく》です
ねえねえ オラにも 「どこ行《い》くの？」って 聞《き》いて 聞《き》いて
んもー 眠《ねむ》いのにー
ど どこ行《い》くの？
ひ・み・つ
カ〜〜〜
す・すみません
△△駅《えき》 △△駅《えき》〜
全員《ぜんいん》 おりたわね
しんちゃんが いません
え———!? まだ 乗《の》ってるの!?
しんちゃ〜ん
急《いそ》いで 下《くだ》さい
…たくダメねえ
どこ行《い》くの？ おーえる？
シッ シッ
あ
いた…
プシューーーッ
ガタコン
ガタコン
ガタコン
どこ 行《い》くの？ ずるいな ひとりだけ
ガタコ〜ン
ガタコ〜ン

オラは幼稚園《ようちえん》のスーパーヒーローだ編《へん》

その13

アクションデパート
4 5 6
チーン
5階《かい》ギフトコーナーでございます
1234567R
どやどや
しんちゃん今日《きょう》はパパとママお歳暮《せいぼ》選《えら》びでいそがしいから
ぜったいに勝手《かって》な行動《こうどう》は……
もうしてるよ……
いない…
エレベーターガール確《たし》か美人《びじん》だったわね…
しまった〜
あれ？ぼくぅひとり？
ドキッ
ジュースのみたいならつき合《あ》ってもいいよ ただし門限《もんげん》は夕方《ゆうがた》5時《じ》だぞ
もじもじ
そ そーゆー意味《いみ》で声《こえ》かけたんじゃないのよ

チーン
パパとママ きっと5階《かい》で おりたのよ また もどろうね
しんこん旅行《りょこう》は 埼玉《さいたま》1周《しゅう》で いい?
ママー ボク おなか すいちゃったよ
じゃいつもの レストランに 行《い》きましょ ヨシ彦《ひこ》ちゃん
し 下《した》へ まいり ま〜す
オラがケッコン したら シロさみしがるなァ
ガクン
プシュー
どしたの? 急《きゅう》に止《と》まって…
もしもし もしもし
カチャカチャ
お
通《つう》じない…
故障《こしょう》だわ
まあ なんですって ジョーダンじゃ ないわ
おなか すいたよお〜
オラにもかして オラにもかして
デパート事務所《じむしょ》
なに!? 北側《きたがわ》 エレベーターが 故障《こしょう》!?
お客様《きゃくさま》 数名《すうめい》と 店員《てんいん》 ひとりが とじこめ られてます
今・急!!で 修理してます
エレベーター内《ない》は パニックでは…
だいじょうぶ エレベーター係《がかり》の 杉戸《すぎと》リカくんは ベテランだ!! 今《いま》ごろ お客様《きゃくさま》を おちつかせて いるさ
ぎゃ〜〜ん
こわいよ〜〜〜 せまいよ〜〜〜 青森《あおもり》さ けぇりてぇ よぉ〜
びーびー
どお どお どお
お おちついて だいじょぶ よ
はい ハンカチ

おなか すいたよー
ママもよ
私《わたし》も…
ぎゅるるるるぅ～
ポケットの中《なか》に 食《た》べ物《もの》あった ほい
あ ありがと
うまい うまい
ボリ ボリ ボリ ボリ ボリ ボリ
ちょっと 固《かた》いけど おいしいわ
なに コレ？
ピタ…
ムチャ
シロのを 少《すこ》し もらったの
ゴク…
のんじゃった…
2時《じ》間《かん》経《けい》過《か》
おなか すいた～
気分《きぶん》が 悪《わる》いわ
ハァ～
みんな 衰弱《すいじゃく》して きた… 私《わたし》も ダメ…
あーひまだ おゆうぎでも やろーっと
おしりの ほっぺた ペシペシペシ たたけば しあわせ ペシペシペシ ♪
はっ この子《こ》は 私《わたし》たちを 元気《げんき》づけよう として わざと明《あか》るく ふるまっている
もちろん そうではない
さあ!! 私《わたし》たちも 元気《げんき》 出《だ》しましょう!!
グーン
よし 直《なお》ったぞ
チーン
♪ ペシペシ ペシペシ おしりの ダンス～ ♪
ありがと!!

ママとしんちゃんの
お約《やく》束《そく》条《じょう》項《こう》…!?編《へん》

ママとしんちゃんのお約束条項《やくそくじょうこう》……!?編《へん》

その1

おそいなァ
イラ イラ
あ 来《き》た 来《き》た
ほほーい
よ
「よ」じゃない!!
なにか言《い》うべきことがあるだろ
本日《ほんじつ》はおひがらもよくぜっこうのサッカーびよりとなり
誰《だれ》が そんなあいさつをしろと言《い》った
イラ
おまえは約束《やくそく》の時間《じかん》に10分《ぷん》もおくれてきたんだぞ
だから?
あやまるべきだろ!!
なんて?
おくれてゴメン
次《つぎ》からは気《き》をつけろよ
は・はい…
そーじゃないだろ
イラ イラ イラ
んも——わがままだなァ
風間《かざま》くんもういいから早《はや》くサッカーの練習《れんしゅう》やろ

そして「アクションようちえんクラス対抗《たいこう》サッカー大会《たいかい》」に向《む》けて練習《れんしゅう》は始《はじ》まった
練習《れんしゅう》の前《まえ》にかるく柔軟体操《じゅうなんたいそう》やっておこう
じゅーなん?
ケガしないように体《からだ》をやわらかくすることさ
オラじゅーなんたいそーしなくてもやわらかいぞ
ここなんか特《とく》にほ〜〜〜ら
ふにゃあ
いや〜ん
出《だ》すなーっ
ネネちゃんしっかり見《み》てる
1
2
3
4
こしふりたいそー1・2 3・4
5
6
7
8
半《はん》けつたいそー5・6 7・8
しんのすけサッカーはチームプレイなんだ
たのむからチームを乱《みだ》さないでくれ
ヴオオオ
ほうほう
なんとなくわかった
そうかわかってくれたかえらいぞ!!
半《はん》けつたいそう第《だい》2 1・2 3・4
ぜんぜんわかってない………
ガンバロー

いくよー
ほ
ボン
サッカーは
手《て》を使《つか》っちゃ
ダメなの!!
だれが
決《き》めたの？
ルールを
つくった人《ひと》さ
じゃ その人《ひと》に
「手《て》使《つか》っても
いいことに
して」って
たのみに行《い》こー
あのね…
ワッハッハッハッ
ハッハッ
はっ
お
アクション仮面《かめん》の
モノマネ
おヘタだなァ
べ 別《べつ》に
物《もの》マネ
やってたわけ
じゃ…
オラの
見《み》てて
ちっちっちっ
ワハハハ
アクショーン
仮面《かめん》
へぇー
うまいな
ワハハハハ
アクショーン
仮面《かめん》
うんうん
すじが いいぞ
か 河村《かわむら》くん
何《なに》か用《よう》が
あるんじゃない
の？
パチパチ
そ そうだ
オレ様《さま》は
こんな おバカを
やりにきたんじゃ
ないぞ!!
いいか!!
来週《らいしゅう》の
サッカー大会《たいかい》
優勝《ゆうしょう》は
この河村様《かわむらさま》ひきいる
ばら組《ぐみ》のものだ
アクションビーム
ビビビ
なんだ
それを
言《い》いにきたのか…
おっ
アクション
仮面《かめん》だ
ワハハハハ
アクショーン
仮《か》め…
はっ
のせるなーっ
バカに
しやがってーっ
ほほーい
ああ…
なんだか
頭痛《ずつう》が…
ガンバロ〜ね

ママとしんちゃんのお約束条項《やくそくじょうこう》……!?編《へん》

その2

しんちゃーん
ほーい
しゅりけん
しゅ
しゅ
しゅー
あっかんベーワンガム
お昼《ひる》 出前《でまえ》ピザ たのむんだけど
何《なに》がいい?
カツ丼《どん》
ピザだっつってんでしょ
ぴざって なんだっけ?
?
ほら 丸《まる》いパンの上《うえ》に エビとかきのこ トマトなどが いっぱいのっかってる アレよ
ぐじゃ～
オラ いらね……
ほら こーゆーの
なにが いい?
おお ピザ知《し》ってる 知ってる
出前ピザ
カツ丼《どん》ピザ
あ～～っ
イラ
イラ
イラ
イラ
イラ
イラ

トゥルルルル
はい 出前《でまえ》ピザの トレビアーノ・チッチョリーナです
〇〇町《ちょう》の 野原《のはら》です ミックスピザと シーフードピザを お願《ねが》いします
出前ピザ
サイズは?
M《エム》サイズで
スリーサイズは?
上《うえ》から79・58……
はっ…
何《なに》を 言《い》わすか こら しんのすけ お待《ま》ち
ガッ
だおおっ
タンスのカドに 足ぶつけた みさえ
あ ありがと ございました…
ピンポーン
ほーい
出前《でまえ》ピザ トレビアーノ・チッチョリーナです
おおっ
ハ ハロー アイアム ア ボーズ ラブミーテンダー ナニイッテンダー
あ どうも おいくら?
ボクは 外国人《がいこくじん》じゃ ないんだよ 店名《てんめい》がね…
バイバイ チッチョリーナ シーユアゲン ナニモアゲン
ボボボボ
とうとう チッチョリーナに されちまった

おへやに運《はこ》んどいて
ほーい
しんちゃーん
なーにー？
くるっ
ずる
くれぐれも落《お》とさないようにね
…………ほーい……
♪
さー食《た》べよー
んー!!んまい!!
しんちゃんこっちも食《た》べなよあんたの好《す》きなポテト入《はい》ってるよ
きょうはポテトきらい……
ピーーー
お湯《ゆ》わいた
はっ
ん!!なぜ ここにピザの具《ぐ》が…？
しんのすけーっ
あピザいいなァ
なにピザ？
落《お》としてないピザ
食べれば
あとで おしりたたき10連発《れんぱつ》もらったしんのすけであった

ぎゅるるるる

ママとしんちゃんのお約束条項《やくそくじょうこう》……!?編《へん》

その3

♪雨《あめ》の日《ひ》も風《かぜ》の日《ひ》も みんなの幸福《しあわせ》 届《とど》けます♪
♪白《しろ》ヘビ 白《しろ》ヘビ 宅急便《たっきゅうびん》～♪
ピンポーン
お
こんにちわー 白《しろ》ヘビ宅急便《たっきゅうびん》でーす
新人
野原
証拠《しょうこ》は?
しょ 証拠《しょうこ》って?
白《しろ》ヘビ宅急便《たっきゅうびん》のおにいさんならテレビCMのお歌《うた》うたってみろ
まいったなァ～～ しかたない
雨《あめ》の日《ひ》も風《かぜ》の日《ひ》も みんなの幸福《しあわせ》 届《とど》けますぅ 白《しろ》へび 白《しろ》へび 宅急便《たっきゅうびん》～～～♪
うん うん よし よし
ガチャ
あーーっ テレビの人《ひと》とちがうっ にせものだな!!
ここか 要注意《ようちゅうい》リストにのっていた家《いえ》は……

ぼうやの 他《ほか》に誰《だれ》か いる？
いる
じゃ 呼《よ》んで
シローッ!! ゴキブリさーん!!
ぼうやで いいや
おとなりの 荷物《にもつ》 あずかって くれますか？
なんで？
おるす だったんだよ
え!? おとなりの おばちゃん どこ行《い》ったの？「おみやげ 買《か》ってくる」って 言《い》ってた？
知《し》らないよ 知《し》らない っての
あ―― 時間《じかん》が どんどん すぎていく～～
とにかく コレ あずかって おねがい
バクハツ しない？
バクハツ しそうなのは お兄《にい》さんの方《ほう》だよ
イラ イラ
人《ひと》に親切《しんせつ》にすると よい子《こ》になれますよ
オラ あずかってあげる
ありがと
ほ
これで 次《つぎ》の仕事《しごと》へ行《い》ける
これ かいて
ひまわり組
よい子証明カード
久しぶりに おてつだい!! してくれた ママ
1年ぶりに おかたづけしてた ママ
ちゃんとね ハンコも おしてね
イラ イラ イラ イラ イラ
えーと 荷物《にもつ》をたいへん快《こころよ》く あずかってくれました

ここんなにも たいへんな 仕事《しごと》だったのか 宅配《たくはい》ドライバーは……
白ヘビ
ふら～～
お体《からだ》 たいせつにねー
数十分後《すうじゅっぷんご》
ハラへった～～ 母《かあ》ちゃん おそいな～～
ぎゅるるる
また 田中さんちで 長話 してんのかなぁ
お
おいしそーな におい
くんくんッ
高級ハム 焼豚セット
牛
焼豚
ハム
ハム
おおっ
ざく
パクパク ムシャムシャ
んー んまい んまい
ただいまー
ごめんね おそくなって
あらおいしそーね どしたの？ コレ
ひょい
パク
宅急便《たっきゅうびん》やさんの おにいさんがあずかって 下《くだ》さいって
ゴク…
しんちゃん あずかるって どーゆー意味《いみ》か わかってる？
う～ん なんとなく わかんないけど オラがかわりに もらうこと
すみませーん
ウチの荷物《にもつ》 お宅《たく》で あずかって もらってる そうで
ま おひとつ どうぞ
食べながら 話 聞いて 下さい
ぎゃぴー

ママとしんちゃんのお約束条項《やくそくじょうこう》……!?編《へん》

その4

アクションようちえん クラス対抗《たいこう》サッカー大会《たいかい》
さ 次《つぎ》は ひまわり組対《ぐみたい》 ばら組《ぐみ》よ
なんか キンチョー するなァ
ボクも キンチョー してる
オラも キンチョーして ねむい ふあ〜〜〜あ
それ ぜんぜん キンチョー してない
オーーッ ホッホッホッ その程度《ていど》では ばら組《ぐみ》の 楽勝《らくしょう》ね
出《で》たな… ふん やってみなきゃ わからないわよ
やあ
や
1点《てん》でも シュート できたら ほめて あげる
ほざけ この 自信過剰女《じしんかじょうおんな》
ウチの 勝利《しょうり》は 確実《かくじつ》よ なぜなら…
ばら組《ぐみ》には チーター河村《かわむら》くんの 他《ほか》に「鉄《てつ》の壁《かべ》」と 呼《よ》ばれる 天才《てんさい》ゴールキーパー 若林《わかばやし》くんもいるからよ
て 鉄《てつ》の壁《かべ》……!?
やあ
ケツのかべ!?
鉄《てつ》の壁《かべ》だ!!
鉄《てつ》!!
そいつは ほっとけ ほっとけ

キック・オフ
しんのすけ パス
おー
だっ
チーター パス
な…?!
サンキュー おバカくん
がんばってねー
敵《てき》に渡《わた》して どーすん だよーっ
だって いつも先生《せんせい》が 「遊《あそ》ぶ時《とき》はなかよくね」 って言《い》ってた
試合《しあい》の時《とき》は別《べつ》だ!! 早《はや》くボールを 取《と》り返《かえ》してこい
さっ
さっ
さっ
は 早!!
ボール 返《かえ》して
ぼそ…
だあああ 気持《きも》ち 悪《わる》いなァ〜っ
じゃ そゆことで
いったん キーパーの ボーちゃんに パスだ
ほい
ボーちゃん パス
ずばんっ
うおっ しゃーーっ ラッキーッ
ヤリッ!!
わーい わーい 何《なに》かいいこと あったの?
パスが 強《つよ》すぎだ!! いっしょに 喜《よろこ》ぶなーっ

その後《ご》 たてつづけにシュートされる
オッホッホッ ホッホッ 予想《よそう》どおりの 展開《てんかい》ね
残《のこ》り時間《じかん》 あと1分《ぷん》よ
く… なんて にくたらしい 顔《かお》なの
だから男《おとこ》が 寄《よ》りつかないんだぞ
おのれの顔面《がんめん》に シュートぶちかまし たろか――っ
ガルルルル
父兄《ふけい》の方々《かたがた》が 見《み》てますよ
ふ 一回《かい》ぐらい シュートして みろよ
まったく たいくつ だぜ
じゃ オラが たいくつ しないように してあげる
ほほう でかい口《くち》 たたくじゃねえか やれるもんなら やってみろ
いなり ずし〜
まだ たいくつ?
あぁあっち いけよ…
んにょ〜
ご自由《じゆう》に 想像《そうぞう》して下《くだ》さい
それっ
はっ いつの間《ま》に…
だが チョロイぜ こんなの
それっ
見て見て ちびっ子 サッカー
かわい〜
お
へいへい そこのおねえさん
どか
なたーっ
ぽんっ
やったー, 1点取った
いなりずし 見《み》たい〜〜?
〜♪
くそ〜〜っ あんなヤツに〜

ママとしんちゃんのお約束条項《やくそくじょうこう》……!?編《へん》

その5

さて あとは コレをしまうだけだ 2ついっぺんに いくか
せーの
ぐりっ
ウッ
の 野原《のはら》みさえ 29歳《さい》にして ついに ぎっくり腰《ごし》か……!?
あ なんとか 動《うご》ける ちょっと 痛《いた》いけど…… よかったァ
母《かあ》ちゃん
する する する
ん?
だっこ
え?!
だおおおお～
ぐきっ
なんで泣《な》いてんの? 久《ひさ》しぶりに だっこして 感動《かんどう》した?

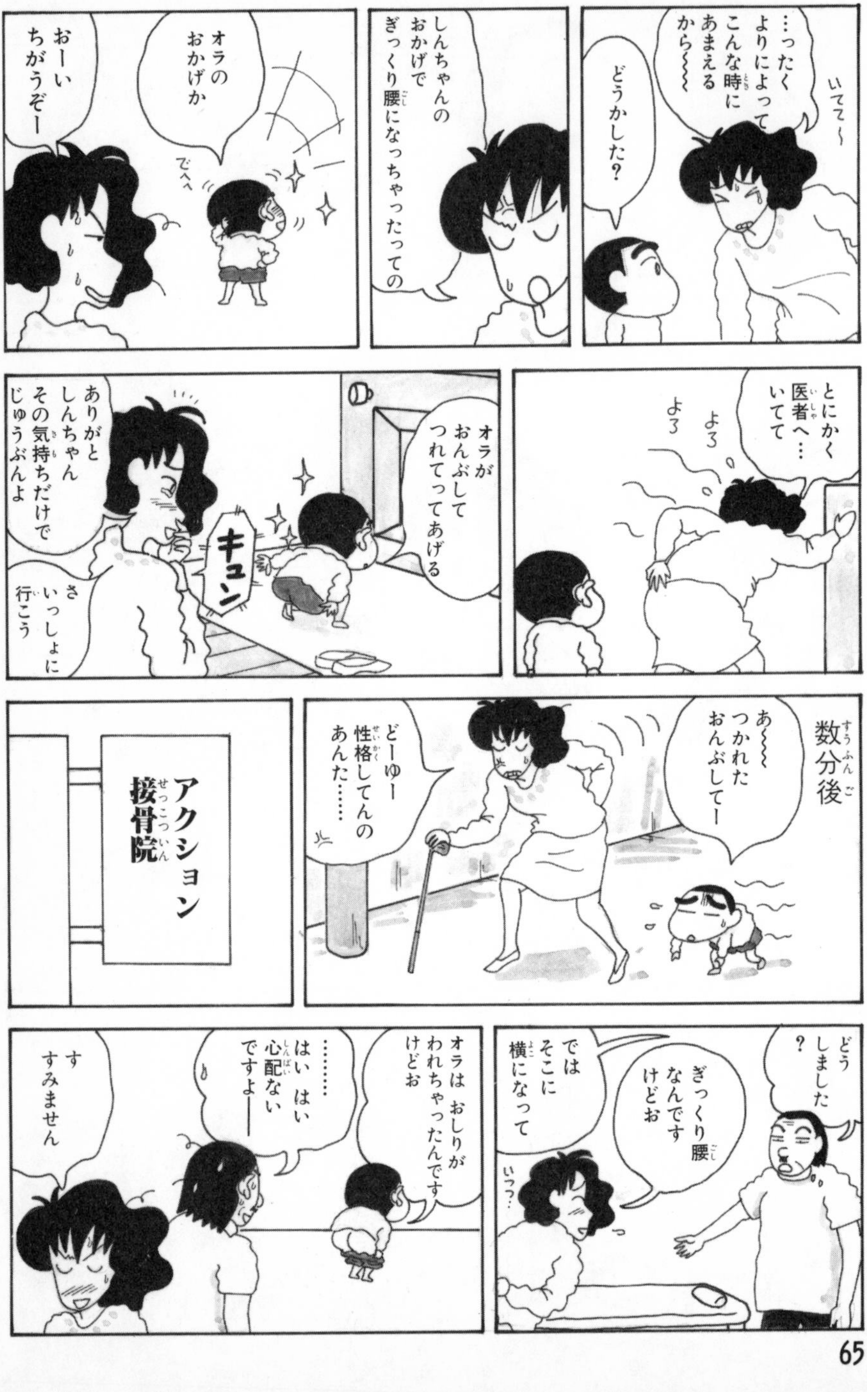
いてて～
…ったく よりによって こんな時《とき》に あまえる から～～～
どうかした?
しんちゃんの おかげで ぎっくり腰《ごし》になっちゃったっての
オラの おかげか
でへへ
おーい ちがうぞー
とにかく 医者《いしゃ》へ… いてて
よろ よろ
オラが おんぶして つれてって あげる
キュン
ありがと しんちゃん その気持《きも》ちだけで じゅうぶんよ
さ いっしょに 行《い》こう
数分後《すうふんご》
あ～～ つかれた おんぶしてー
どーゆー 性格《せいかく》してんの あんた……
アクション 接骨院《せっこついん》
どう しました?
ぎっくり腰《ごし》 なんです けどお
では そこに 横《よこ》になって
いつつ…
オラは おしりが われちゃったんです けどお
……… はい はい 心配《しんぱい》ない ですよ——
す すみません

電気治療《でんきちりょう》しますから
え?!
アハハ 弱《よわ》い電流《でんりゅう》ですから こわがらなくて だいじょうぶで……
ビリ ビリ ビリ
すよーっ
アクションロボ パワー全開《ぜんかい》!!
ウィー!
すいません すいません 申《もう》しわけ ございません
2度《ど》と さわっちゃ ダメだよ
3度《ど》は?
もっと ダメ!!
これ なーに?
レントゲン写真《しゃしん》さ 特別《とくべつ》なカメラで 人間《にんげん》の体《からだ》が すけて見《み》えるのさ
ずる
でーっ
ちょっぴりうれしい…
母《かあ》ちゃんの おパンツと 同《おな》じだ スケスケ レントゲン おパンツー!!
家《いえ》で しばらく 安静《あんせい》に してて下《くだ》さい
はッ
あんせー?
動《うご》いちゃ ダメって ことだよ
ほう
おケツでか みさえ ケチケチ おばさん ♪
パクパク
ピチャ ピチャ
ゴロ ゴロ
治《なお》ったら おぼえてろ〜〜〜

ママとしんちゃんの お約束条項《やくそくじょうこう》……!?編《へん》

その6

とにかく このままじゃ プレゼントはダメね
今《いま》から がんばる
ほう 夜《よる》までに よいこマーク 10コ ためられる かしらねえ
ま せいぜい がんばりな ホホホ
ガッ
ぎおおおお~
タンスのカドに 足《あし》の小指《こゆび》ぶつけた
ほい
……ありがと……
よいこシール 1コめ
わかってるわよ……
不覚《ふかく》であった…… くそ~
トン トン トン トン トン
じー
待《ま》ってても そうカンタンに 指切《ゆびき》らないわよ……
それより おかたづけとか もっと よいこになれる事《こと》 いっぱい あるでしょーが
ほう ほう
おかたづけー おかたづけー おかたづけー ♪
てき ぱき
イキ イキ
まったく プレゼントが かかってると アレだもん なァ
数分後《すうふんご》
かいじゅう シリマルダシー
ガン
ドラ バラ
案《あん》の定《じょう》 もう わすれてる もんなァ~~

これで
おバカシール
もう1枚追加《まいついか》!
ワッハッハッハッざんねんでした
もう貼《は》る所《とこ》が ないぞ
ぎっしり
ウラ面
よろこんでる場合《ばあい》かっ
情《なさ》けない!!
最後《さいご》のチャンス!!
夕食《ゆうしょく》のお手伝《てつだ》い
ちゃんとやれたら
よいこシール
特別《とくべつ》に9コあげます
おおっ
母《かあ》ちゃん
太《ふと》もも!!
じゃ
前渡《まえわた》しと
ゆうことで
よいこ
スコアボード
さっさと
手伝《てつだ》わんかい
てき
ぱき
よ
てき
ぱき
ほ
その ケーキが
最後《さいご》よ
お…
おお…
おおお〜
よろ
よろ
…で
落《お》としちゃったのか…
ハハハ
サンタローに
プレゼント
もらえない…
だいじょうぶよ
いっしょけんめい
やったんだ
から
ぐしゃ…
きょうは
よく
がんばったね
よいこ
スコアボード
すぴー
そ…

ママとしんちゃんのお約束《やくそく》条項《じょうこう》……!?編《へん》

その7

アクション ようちえん
きょうは大《おお》そうじをしま――す
きのう言《い》っておいたとおり みんな ぞうきん 持《も》ってきたぁ?
は――い
ほーい ほーい
先生《せんせい》が言《い》ったのは ぞうきん それは ぞうちん
なァんだ 今度《こんど》から ちゃんと 言《い》ってね
あんたも ちゃんと 聞《き》いてね
ママが 作《つく》ってくれたの うさちゃん ぞうきん
まあ おわいい～
ウチには こんなのしか なくてね
シルクの ぞうきん
け
しんちゃん ぞうきん ないんじゃ どうしようかなァ
じゃ 見学《けんがく》と ゆうことで
先生《せんせい》のを 貸《か》します

ばら
シュ〜〜〜ッ
クリーナー
ぬ
おじいさん
アハハハ
クリーナー
白《しろ》い うんこ
あっち行《い》け シッシッ
見《み》てはいけませーん ひまわり組《ぐみ》の おバカが うつりまーす
あははは
ちょっと!! ひまわり全体《ぜんたい》 おバカあつかい しないでよね バラ組《ぐみ》の 厚化粧先生《あつげしょうせんせい》
あ〜〜ら おバカだから おバカって 言《い》ったのよ ひまわり組《ぐみ》の 化粧下手先生《けしょうべたせんせい》
まあ まあ もちついて
おちつけって だろ
ケンカの い・ん・げ・んは なんですか
それを ゆうなら 原因《げんいん》!! その 原因《げんいん》は あんた!!
さっさと バケツに お水《みず》 くんで!!
ほーい
シュ〜
…ったく
やってますね 大《おお》そうじ
ほ〜〜ら おじいさん
まつざか 先生
イラ イラ イラ
あ〜〜っ どいつも こいつも〜〜〜

じゃぶ じゃぶ
ぎゅ
あーー つかれた
まだ なんにも しとらんだろが
ぞうきんで 顔ふくな
よごれてる所《とこ》 ふいてね
はーい
じゃ 風間《かざま》くんの おケツでも ふくか
ぼくのおしりは いつもきれいだ なぜなら毎朝《まいあさ》 ママにちゃんと ふいてもら…はっ
いいや 今《いま》のは ジョーダンさ ボク ほんとは 自分《じぶん》でふくから いつも ウンチ だらけでさ ハハハ……
しどろもどろ
そうじしよー
ろうかの 足跡《あしあと》 ふこおっと
ふき ふき
がんばってね
きゅ きゅ
じゃ オラは お庭《にわ》の 足跡《あしあと》を
ふき ふき
ざり ざり
お庭《にわ》は けっこう ですよ〜〜〜 ハハハ〜〜〜
わーーっ ピカピカ
おおっ 大《おお》そうじ 終《お》わったぞ
まだ 1ケ所《しょ》 残《のこ》ってるわよ しんちゃん
カザマ トオル
マサオ
ボ〜
のはら しんのすけ
さくらだ ネネ
来年《らいねん》の 大《おお》そうじに やる
ダーメ

ママとしんちゃんのお約束条項《やくそくじょうこう》……!?編《へん》

その8

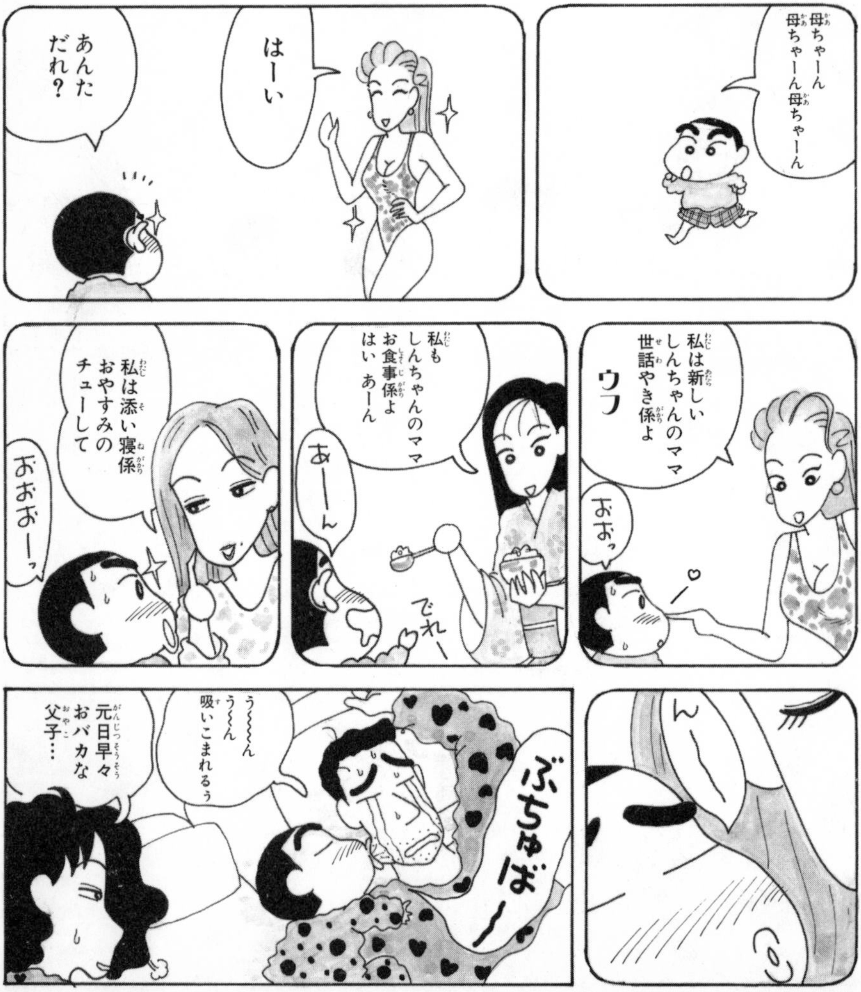

母《かあ》ちゃーん 母《かあ》ちゃーん母《かあ》ちゃーん
はーい
あんた だれ？
私《わたし》は新《あたら》しい しんちゃんのママ 世話《せわ》やき係《がかり》よ
ウフ
おおっ
私《わたし》も しんちゃんのママ お食事係《しょくじがかり》よ はい あーん
あーーん
でれ～
私《わたし》は添《そ》い寝係《ねがかり》 おやすみの チューして
おおおーっ
ん
ぶちゅば～
う～～～ん う～ん 吸《す》いこまれるぅ
元日早々《がんじつそうそう》 おバカな 父子《おやこ》…

母《かあ》ちゃん
もうすぐでおぞう煮《に》できるからねぇ
おとしだま
ぎくっ
お正月《しょうがつ》になったら子供《こども》はみんなもらえるって風間《かざま》くん言《い》ってた
そうそうテレビで「お正月《しょうがつ》だよアクション仮面《かめん》」やっ…
やってないよおとしだま
なにかと出費《しゅっぴ》の多《おお》いこの年末年始《ねんまつねんし》せめてもの節約《せつやく》と今《いま》まで しんのすけには「お年玉《としだま》」のシステムを知《し》らせないでいたのに……
とうとう知《し》ってしまったのね…
ふぅ
オラにもちょうだいおとしだまちょうだい
ところでおとしだまってなに?
さあではおとしだまあげるわよ〜〜〜
しっかり受《う》けとってね
ピンポン玉
=3
カザマくんはこんなのをたくさんもらってよろこんでたのか…
ま いいやわーーいわーーいおとしだまー
よっしゃあ今年《ことし》もしのいだ
あわれなヤツ…

みさえ 今年《ことし》も 愛《あい》してるぞ
私《わたし》もよ
もう一本《いっぽん》
ダメ
かるた やろー
やろう やろう
オレ 読《よ》んで やるよ
犬《いぬ》も歩《ある》けば 食《しょく》あたり
あった
ばんっ
うっ…
子供《こども》あいてに ムキになって ・・・ おまたげないぞ
おとなげ でしょ
ライオンは うさぎを たおす時《とき》も 全力《ぜんりょく》を つくす
サルも 落《お》ちるときゃ 落《お》ちる
ばんっ
ううっ
ぷくー
少《すこ》しは 手《て》かげんして やれよ
わかった
花《はな》より ダンダンは どこ行《い》った
ははどこだ は～～～
あそこだ ほら 早《はや》く 取《と》りな
あったぞ
ばんっ
とった とった わーい わーい
お―― お― よろこん じゃって
やーい やーい うすのろ母《かあ》ちゃん かがみもち～～～
カッ
調子《ちょうし》に のるな この おバカ
ぎゃぴ～～っ
ばし ばし ばし ばし ばし
あ～～あ 今年《ことし》も こんな 調子《ちょうし》か…

ママとしんちゃんのお約束条項《やくそくじょうこう》……!?編《へん》

その9

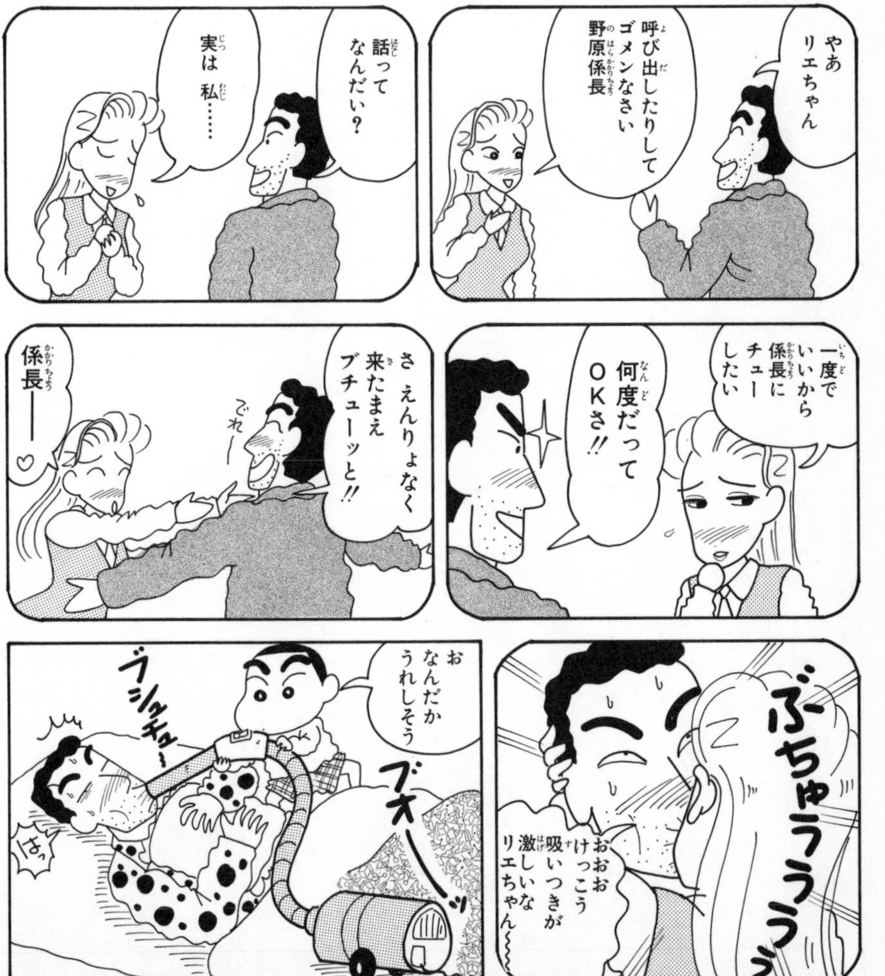

やあ リエちゃん
呼《よ》び出《だ》したりして ゴメンなさい 野原《のはら》係長《かかりちょう》
話《はなし》って なんだい？
実《じつ》は 私《わたし》……
一度《いちど》で いいから 係長《かかりちょう》に チュー したい
何度《なんど》だって OKさ!!
さ えんりょなく 来《き》たまえ ブチューッと!!
でれー
係長《かかりちょう》──♡
ぶちゅううううう
おおお けっこう 吸《す》いつきが 激《はげ》しいな リエちゃん〜〜
ブシュチュ〜
はっ
お なんだか うれしそう
ブオー

なにしやがんだ このおバカ
あら? お鍋《なべ》がない……
ゴキッ
だぉぉ〜〜
?!
きたねえぞ 急《きゅう》に鍋《なべ》かぶるなんて〜〜〜
じ〜〜ん
おゲンコツよけ
知恵《ちえ》ついてきたわね
父《とう》ちゃん きょうはタコあげするやくそくだぞ
やる気《き》なくした
よしなが先生《せんせい》が父《とう》ちゃんのことほめてたぞ
ふん おせじなんか言《い》ってもムダだよ
……でもなんて言《い》ってた?
「オラとよく似《に》てる」って「やっぱり親子《おやこ》ね」って
それぜんぜんほめてない……
ねえ〜〜ん タコあげしよ〜〜よ タコあげ〜〜ん
くね くね
わかったよ やるから はなせよ
やれやれ 父《とう》ちゃんをなだめるのもたいへんだ
オレのセリフだ

しんのすけ そっち 持《も》ってろ
ほい
よし いくぞ
だっ
びゅんっ
わーい 勝《か》った 勝《か》った勝《か》った
競走じゃ ないっての
オレを ぬいて どーーする
そっちやりたい 持《も》ってるの つまんない
父《とう》ちゃんが お手本《てほん》 見《み》せてやるってのに
あの人《ひと》の おパンツは どんなかなァ
わかったよ 代《かわ》ってやるよ
ったく 親をおどすとは なんちゅうガキだ
たたた
ほっほーい
お いいぞいいぞ
もう ちょっと 早《はや》く 走《はし》れば 上《あ》がるぞ
すとん
ほっ
TAXI
タクシー
自分《じぶん》で 走《はし》るの!!
肉まん

ママとしんちゃんの
お約束条項《やくそくじょうこう》……!?編《へん》

その10

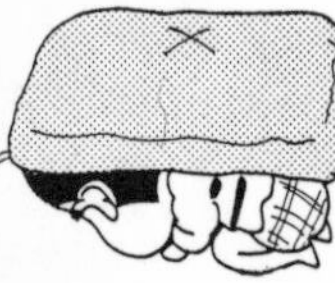

くるくる
アクション
回転寿司
in
ぶおー
お
すいてる
すいてるすいてる
私《わたし》
回転寿司《かいてんずし》って
初《はじ》めて
オレは
会社《かいしゃ》の昼食《ちゅうしょく》で
たまに行《い》くけどな
バック
オーライ
と…
んーー
でえええ
うしろが
見《み》えねーー
だろが
ずがっ
すいません
すいません
申《もう》しわけ
ございません
弁償《べんしょう》します
いいですよ
いいですよいいですよ
ハハハ……
やれ
やれ
ペコ
ペコ
ペコ
ペコ

おおっ
まわってる
まわってるまわってる
ぐいん
ぐいん
ぐいん
まだローンが
残《のこ》ってるのに
バンパー
ボコボコに
なっちゃった
父《とう》ちゃん
お食事《しょくじ》は
明《あか》るくたのしく
食《た》べましょー
誰《だれ》が
暗《くら》く
したんだ
とにかく食《く》お
くよくよしても
しょうがない
母《かあ》ちゃんは
おなか
ブヨブヨして
しょうがない
おだまり
おっと
車《くるま》のキー
さしっぱなし
トイレ
トイレトイレ
ぐいん
ぐいん
次《つぎ》は
どれに
しようかなァ
ぐいん
ぐいん
ぐいん
すいません
すいません
すいません
誠《まこと》に申《もう》しわけ
ございません
いいですよ
ハハハ
子供《こども》のした事《こと》
ですから
やれ
やれ

さ 気《き》を取《と》り直《なお》して食《た》べよ
待《ま》てみさえ!! そのマグロは長時間《ちょうじかん》 放置《ほうち》されてすでにしなびている食《た》べない方《ほう》がいい!!
ひそひそ
え?!
あなたスゴイ
ふだてに回転寿司歴《かいてんずしれき》は長《なが》くねえぜ 会社近《かいしゃちか》くの回転寿司屋《かいてんずしや》では「タカの目《め》を持《も》つ客《きゃく》」と恐《おそ》れられている
そんけいのまなざし～
ふっふっ
いいかネタの光《ひか》りかげんで見分《みわ》けるんだ 鮮度《せんど》のいいネタの光《ひか》り方《かた》は…
次《つぎ》はこれを…
ひそひそ
ほうほう
ぎくっ
オラの父《とう》ちゃんがそのマグロはしなびてるから食《た》べちゃダメだって
あ ありがとよぼうや
せ 鮮度《せんど》のいいのとお取《と》りかえしてさしあげろ
へい
すみませんすみません申しわけございません
あ── 食《く》った食《く》った食《く》った
おプリン
♪
どん
ぐらぐら
ガラララッ
ガッシャーン
ガラガラ
ガラララ
ガッシャーン
この皿《さら》はオレのじゃねえよ!!
300円《えん》の皿《さら》はあんたのでしょ!!
すいませんすいませんすいませんすいません 誠《まこと》に誠《まこと》に申《もう》しわけございません
いいですよいいですよ もうどうでもいいですよ ハハハ～～～
やれやれ

ママとしんちゃんのお約束条項《やくそくじょうこう》……!?編《へん》

その11

10分経過《ぷんけいか》
カチ
お
ポイ
ポイ
ポイ
母《かあ》ちゃんおかたづけしてえらいなァよしよし
ざんねんでした
すててるのよ
おやくそく条項《じょうこう》第《だい》13条《じょう》言《い》ってみな!!
えっ?!
母《かあ》ちゃんのおパンツがスケスケであることをよその人《ひと》に言《い》ってはいけない
それは43条《じょう》!!わからなきゃおやくそくノート見《み》てみなさい
ミミズみたいな字《じ》で読《よ》めない
さかさま!!

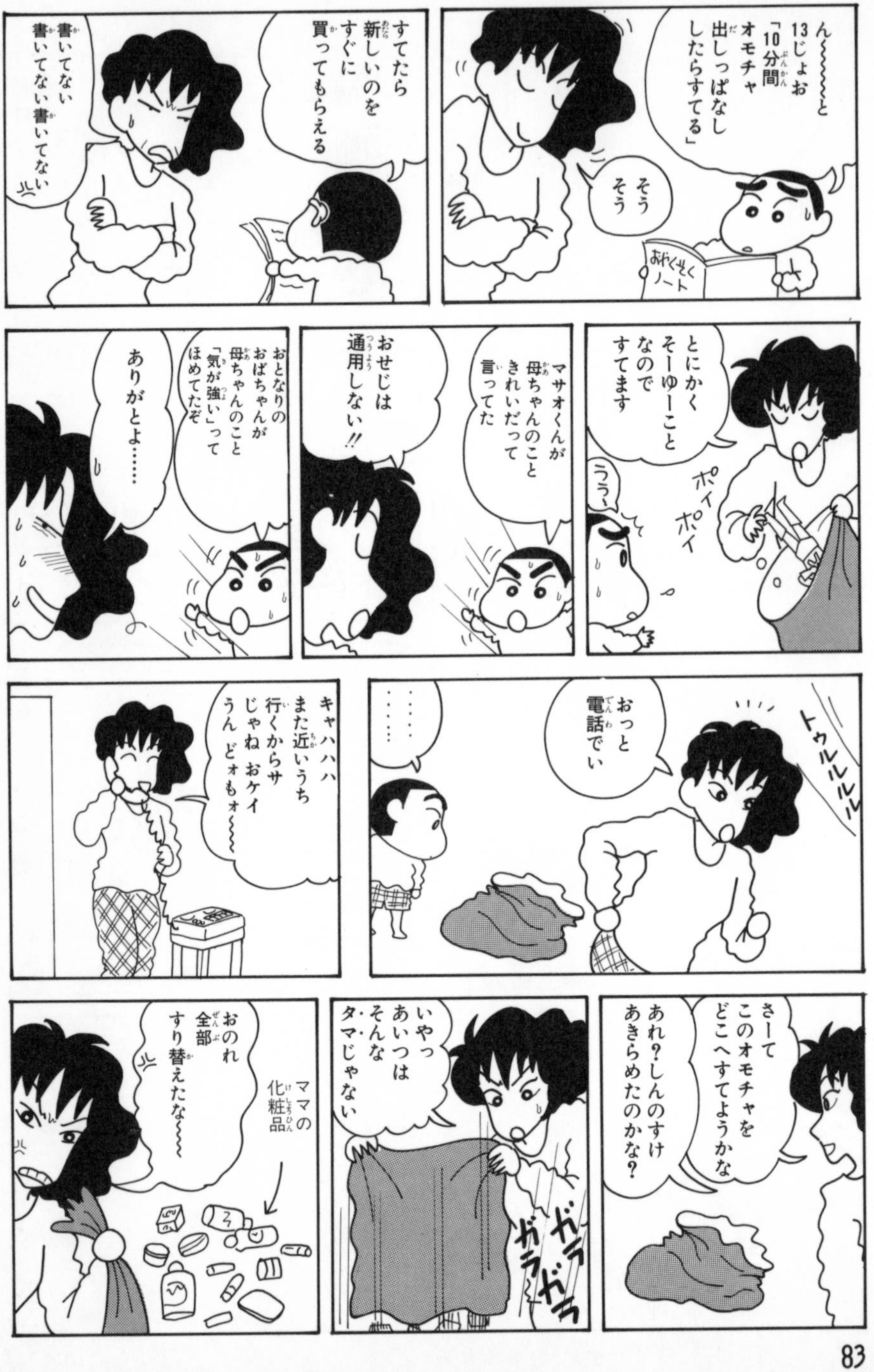

ん〜〜〜〜と 13じょお「10分間《ぷんかん》 オモチャ出《だ》しっぱなししたらすてる」
そう そう
おやくそくノート
すてたら新《あたら》しいのをすぐに買《か》ってもらえる
書《か》いてない 書《か》いてない書《か》いてない書《か》いてない
とにかくそーゆーことなのですてます
ポイ ポイ
うう〜
マサオくんが母《かあ》ちゃんのこときれいだって言《い》ってた
おせじは通用《つうよう》しない!!
おとなりのおばちゃんが母《かあ》ちゃんのこと「気《き》が強《つよ》い」ってほめてたぞ
ありがとよ……
トゥルルルル
おっと電話《でんわ》でい
……
キャハハハ また近《ちか》いうち行《い》くからサ じゃね おケイ うん どォもォ〜〜〜
さーて このオモチャをどこへすてようかな
あれ?しんのすけあきらめたのかな?
いやっ あいつはそんなタマじゃない
ガラガラ〜 ガラガラ
おのれ全部《ぜんぶ》すり替《か》えたな〜〜〜
ママの化粧品《けしょうひん》

こらーーっ
待《ま》ちなさい
だーーっ
うっ
履物《はきもの》がぜんぜんない〜〜〜っ
がら〜ん
ピンポーン
はーーい
オレは追われている
すまんがこのブツをあずかってくれ
どなたですか？
それは私《わたし》のセリフ
なんの用《よう》？
オラは追《お》われているオモチャあずかってて
なんで見《み》ず知《し》らずの子供《こども》のオモチャを私《わたし》があずからなきゃいけないわけ？
どこかできいたセリフね
こうなったのもなにかのえんだから
じゃ
どうにもなっとらん!!
縁《えん》なんかないわい!!
こらーっ
お待《ま》ちーっ
ペタシ
ペタシ
ペタシ
スリッパ
おばば……
そのうち
引《ひ》き取《と》りに
来《く》るだろ…

ママとしんちゃんのお約束条項《やくそくじょうこう》……!?編《へん》

その12

♪〜

アクションようちえん
きょうから2泊《はく》3日《か》のスキー教室《きょうしつ》でーーす
はーーい
みんなうれしそうね
スキー大《だい》スキ? ナンチャッテ キャハ
♪〜
あんたが一番《いちばん》うれしそうだよ……
え? ボクの板《いた》見《み》たいって? いいとも
ノルデカの超高級《ちょうこうきゅう》ジュニア用《よう》ビンディングはサルモンの……
べらべら
また始《はじ》まった
オラの板《いた》は……
はご板《いた》とかまぼこ板《いた》ね ハイハイ おもしろい おもしろいおもしろいおもしろい!!
ボク 板《いた》持《も》ってない
スキー場《じょう》でレンタルしてますよ
オラ 細川《ほそかわ》ふみえの写真集《しゃしんしゅう》持《も》ってない
それはレンタルしてません

みんな まどから お顔《かお》や手《て》を 出《だ》しては いけませんよ
はーい!!
ブロロン
ポイ
じゃま くせえバス ぬいちゃえ ぬいちゃえ
あばよ ハナタレ ぼうず
つぶれた いなりずし〜〜〜
ぺたぁ
な なに やってんの!!
キキーーッ
ごん
ぐしゃ…
あら〜
い いいですか? 窓《まど》ガラスに…い… いなりずしを 押《お》しつけたりしては いけません
いなりずし ない人《ひと》は どーすんの?
だまれよ
ドライブ イン
オシッコ もれちゃう もれちゃうもれちゃう
急《いそ》いで
○○女子大 スキー部
オシッコ もれちゃうん でしょ!!
おお むっちり わすれてた
すっかり でしょ

ここから先《さき》はひとりで行《い》ってね
だって男子用《だんしよう》だから
えー!? なんで?
なんで男子用《だんしよう》だとダメなの?
たまにはいっしょにオシッコしようよ
だから 先生《せんせい》は立《た》ちションできないっての
じゃ ひとりで行《い》こーっと
うっ…… え!? いや…… あの…… アハハハ……
ん
ぷる ぷる ぷる
あ
あははは 汚《きた》ないの やーーい おバカ
最近《さいきん》 ちょうし どお? 風間《かざま》くん
ふくなーーっ
ふき ふき
ジャブ ジャブ
まったく 汚《きた》ない ヤツだな
だから ふくなっての
洗《あら》ったから だいじょうぶだよ
そーゆー問題《もんだい》じゃなーーい!!
ふき ふき
ムス
ブォ~
旅行《りょこう》は たのしく 行《い》きましょー

ママとしんちゃんの
お約束条項《やくそくじょうこう》……!?編《へん》
その13
アクションようちえん
スキー教室《きょうしつ》
シャーッ
シャーーッ
ザッ
おーーっ
よしなが先生《せんせい》
おじょうず
へー
やるなァ
わー
キャーーッ
パチ パチ パチ
ふ
小《ちい》さい子供《こども》の前《まえ》で
得意《とくい》がっちゃって
ちょっと
お手本《てほん》を
見《み》せただけです
あなたこそ
ハデなウエア着《き》て
得意《とくい》がってるくせに
ふ
地味《じみ》な服《ふく》しか
似合《にあ》わない
あなたには
そう見《み》えるの
かしら
なんですって
この魔女顔《まじょがお》
るさいわね
平面顔《へいめんがお》
まあまあ
まあ
なんだ
なんだなんだ
どうした?
ざわ
ざわ
三角関係《さんかくかんけい》の
もつれ
へえー
ヤクザと
情婦?
ひそ
ひそ
こら
こら
こら

スキー初《はじ》めての人《ひと》は 私《わたし》の所《ところ》へ 少《すこ》しすべれる人《ひと》は よしなが先生《せんせい》の所《ところ》へ 上手《じょうず》にすべれる人《ひと》は まつざか先生《せんせい》と リフトで上《うえ》まで 行《い》って下《くだ》さい
い!? わ 私《わたし》が…!?
はい だって 先生《せんせい》はかなり おじょうずだと…
言《い》ってたわよねぇ いつも
そ そうよ 学生時代《がくせいじだい》には 回転競技《かいてんきょうぎ》で 賞《しょう》を取《と》ったほどよ オッホッ ホッホッ
ただし ボーゲンの部《ぶ》で しかもブービー賞《しょう》を…
のた〜〜
〇〇村 スキー大会
わーい まつざか先生《せんせい》と いっしょにブランコー
リフト のりば
う こいつも いっしょかよ…
が〜〜
しんのすけくん 5才児《さいじ》らしい 発言《はつげん》をしようね
このまま 時《とき》が止《と》まって しまえばいいのに
うう〜〜 鳥肌《とりはだ》が……
では 他《ほか》の人《ひと》の めいわくに ならないよう すべって 下《くだ》さい
先生《せんせい》の お手本《てほん》が 見《み》たい なァ
そーだ そーだ
先生《せんせい》は 監視役《かんしやく》ですから あとから 行《い》きます
下手《へた》なこと ぜったい バレないように しなきゃ……
シャーッ
シャーッ
よし これで ジャマ者《もの》は いなくなった
やっと ふたりきりに なれたね
さっさと お行《い》き!!
ガルルルル
ぬぅ

半《はん》けつ すべりー
変態《へんたい》的《てき》 だけど うまいわ…
さて誰《だれ》も見《み》てないうちに… ボーゲンて 確《たし》か ハの字《じ》に…
そろ〜り
しまった 先《さき》をとじるん だったわー
ざざーーっ
ずでで
ごろ ごろ
だいじょうぶ?
ラッキーー♡
なんだか 足《あし》が折《お》れた みたいですう あん いた〜い
なに あまえた声《こえ》 出《だ》してんの?
あ あんたじゃないと 思《おも》ったからよ……
きもち わるいぞ
さあ 先《さき》に 行《い》って ちょうだ…
どん
おっとっと
先生《せんせい》 わすれもの
ずざあああ
わーーっ スゴーイ
おみごと
やんや やんや
ふん なかなか やるわね
ほほほ と とうぜんよ
ドキ ドキ ドキ
あ〜〜〜 こわかった 少《すこ》し チビって しまったわ…
半けつ うしろ すべりー

しんちゃんとママのおばかな一日編《いちにちへん》

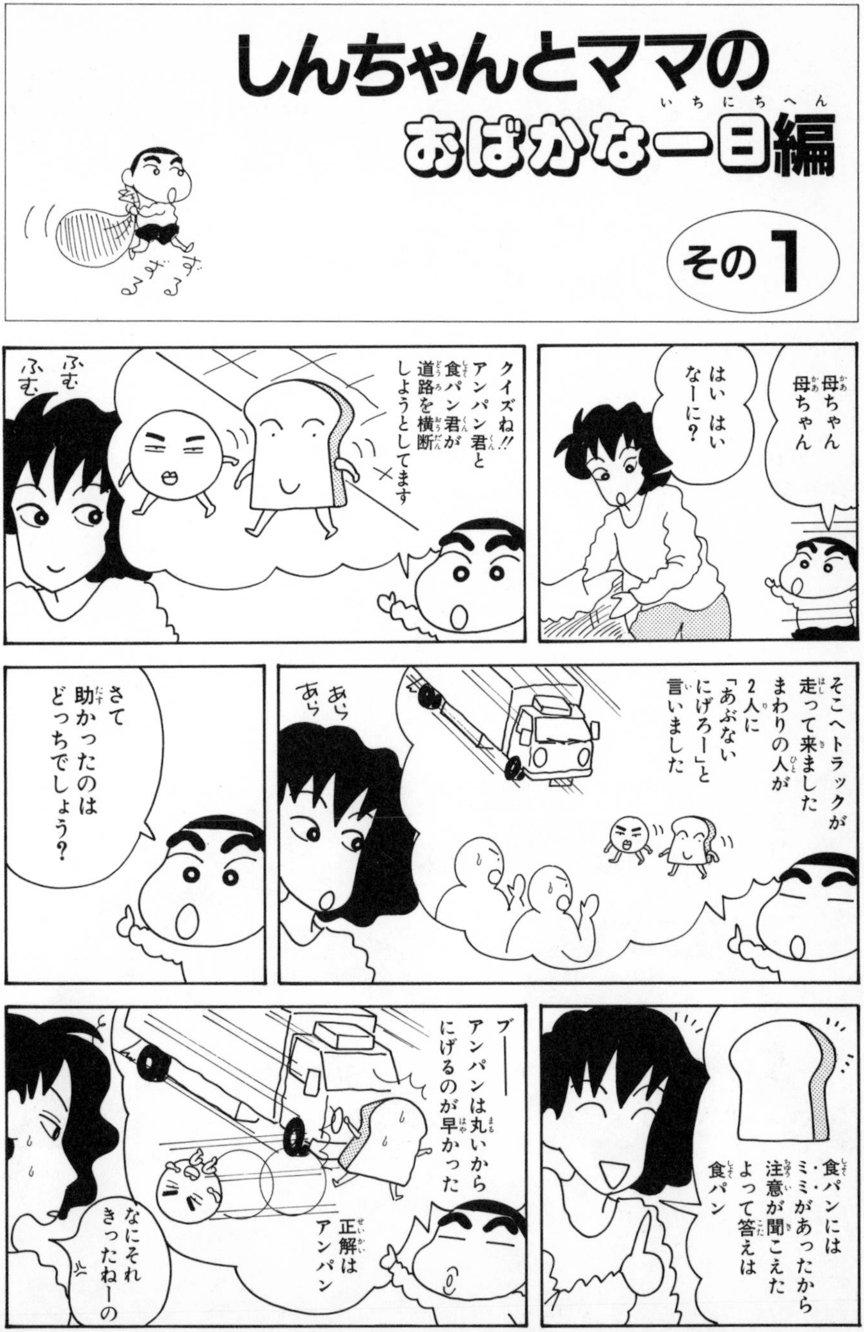
しんちゃんとママの
おばかな一日《いちにち》編《へん》
その1
ずるずる
母《かあ》ちゃん母《かあ》ちゃん
はいはいなーに?
クイズね!! アンパン君《くん》と食《しょく》パン君《くん》が道路《どうろ》を横断《おうだん》しようとしてます
ふむふむ
そこへトラックが走《はし》って来《き》ました まわりの人《ひと》が2人に「あぶないにげろー」と言《い》いました
あらあら
さて助《たす》かったのはどっちでしょう?
食《しょく》パンには・・ミミがあったから注意《ちゅうい》が聞《き》こえた よって答《こた》えは食《しょく》パン
ブーー
アンパンは丸《まる》いからにげるのが早《はや》かった
正解《せいかい》はアンパン
なにそれきったねーの

それより ゴミすてるの 手伝《てつだ》って
えー?!
シロの おさんぽとか 犬小屋《いぬごや》そうじ しなくちゃ いけないのに〜〜
ち
それ ほとんど毎日《まいにち》 ママがやってるんですけど
最近《さいきん》 生《なま》ゴミの日《ひ》に 出《だ》しわすれて たまっちゃってサ
母《かあ》ちゃんの おなかには ウンコも たまってるよね
うるさい!! ハイ コレ運《はこ》んで
持《も》てるだけ 持《も》とう
欲《よく》ばり
あのね‥
できれば 1コだって 持《も》ちたか ないわよ
あ ちょっと 待《ま》って
なんで ゴミすて 行《い》くだけで お化粧《けしょう》するの?
いいでしょ したって
ぬり ぬり
自信《じしん》が ないんだな
‥‥‥

よいしょ よいしょ
わっせ おっせ
ずる ずる
うんせ ほいせ ♪
こらこら どこ 行《い》くの!!
ずる ずる
あ〜〜 オラ つかれた
ママもよ
TAXI
ヘイ タクシー
おいおいおい
あ〜〜っ あんたが 引《ひ》きずるから やぶけちゃったのよ
あら〜
よかったら どうぞ
うちの ステファニー ちゃんは ゴミなんか 食《た》べないザマス
すいません すいません
母《かあ》ちゃん 働《はたら》き者《もの》だなァ
シャカ シャカ シャカ
あんたも 手伝《てつだ》わんかい
ブオ〜〜
ゴミ 収積所
収集車
お仕事《しごと》 がんばってね〜〜
車《くるま》は出《で》て行《い》く ゴミは残《のこ》る〜〜

しんちゃんとママのおばかな一日編《いちにちへん》

その2

アクションようちえん雪《ゆき》降《ふ》りの翌日《よくじつ》
かなりつもったわねぇ
ひまわり組《ぐみ》のみんなは何《なに》して遊《あそ》んでるかなァ
死体《したい》ごっこ
しんちゃんさむいよ～
やめなさいそんな遊《あそ》び
せっかく雪《ゆき》があるんだから雪《ゆき》使《つか》ってあそぼうよ
ふむふむ
雪《ゆき》をのっけた死体《したい》ごっこ
同《おな》じだっての
そーじゃなくて風間《かざま》くんたちみたいに雪《ゆき》うさぎ作《つく》るとか
ほうほう
雪《ゆき》うなぎ
まいっか…

ホッホッホッ そんな物《もの》 造《つく》って 相変《あいか》わらず 低《てい》レベルね
あーーら じゃあ ばら組《ぐみ》は どーゆー物《もの》 造《つく》ってるのよ
雪《ゆき》 馬《うま》
雪《ゆき》 ピサの斜塔《しゃとう》
雪《ゆき》 貴花田《たかはなだ》
ここは サッポロ 雪《ゆき》まつり 会場《かいじょう》か……
ふん 子供《こども》は 子供《こども》らしく 遊《あそ》べば いいのよ
そうだ そうだ まいったか 厚化粧《あつげしょう》雪女《ゆきおんな》
ゴオオオ
なんですって〜っ
許《ゆる》せないわ 雪合戦《ゆきがっせん》で 勝負《しょうぶ》よ
受《う》けて 立《た》とうじゃ ないの!!
雪 馬ふん
んなもん 置くな
ひまわり組《ぐみ》 対《たい》 ばら組《ぐみ》で 分《わ》かれ ましょ
独身《どくしん》組《ぐみ》対《たい》 ひとり者《もの》組《ぐみ》がいい〜
はいはい 来年《らいねん》は そう しようねー
ひまわり組《ぐみ》が勝《か》ったら ばら組《ぐみ》のおやつは もらうぞ ばら組《ぐみ》が勝《か》ったら ひまわり組《ぐみ》のおやつ 見《み》せてやる
うれしか ないわい
そーゆーのは 無《な》し
たくさん 雪玉《ゆきだま》 作《つく》っとこ
んぐ んぐ
シャケか たらこが 入《はい》ってると うれしい のにな
おにぎりじゃ ないぞ!!
ったく 食い意地 はってるんだから

あなた おしるこ できたから みんなを 呼《よ》んで下《くだ》さいな
ウム
キャ
キャ
ほう 雪合戦《ゆきがっせん》 ですか
おそいわねえ
まあ!! なにやってんの いい年《とし》して
キャ
キャ
うん うん
さあ 投《な》げな さいよ
じり…
そっちこそ お先《さき》に どうぞ
しんのすけ 見《み》つけたら ぶつけてやる
はむ
ぞぞぞー
ちゅば ちゅば ちゅば~
だーーっ
うー くった くった
へえええええ
へな~ へな~
みんなーー そろそろ おしるこ タイムに しよーー!! 集《あつ》まれーーっ
わーーっ
わーーっ
おしるこ ですってよ もう やめま しょうよ 雪玉《ゆきだま》 すてなさいよ
はあ はあ はあ はあ
そっちこそ お先《さき》にどうぞ
やってれば
んぐんぐ

しんちゃんとママのおばかな一日編《いちにちへん》

その3

しんちゃーん
ほーい
ご近所《きんじょ》の田中《たなか》さんちに行《い》ってくるからるす番《ばん》してて
またムダ話《ばなし》してくるの?
あんたほどムダに生《い》きてないわよ
なんですかその口のきき方は…
あえぇ~
じゃちょっと行《い》ってくるね
ばたん
ようかいすね毛《げ》ババア
ぼそ
そーゆーことはママがもうちょっと離《はな》れてから言《い》った方《ほう》がいいわよ
ぐり ぐり ぐり ぐり
へぇぇぇ~

ふ――
死《し》ななくて
よかった
お
マッチ
徳用マッチ
シュボ
マッチ売《う》りの少女《しょうじょ》ごっこ!!
おあっちち
じじじ
おわっ
お水《みず》お水《みず》
ジャーーッ
ゴクゴクゴク
プハーーッ
ちがうちがう
ジャーーッ
じゅ
あら～

母《かあ》ちゃん オシッコする時《とき》の穴《あな》作《つく》っておいた
まあ ありがと これで便利《べんり》に……
なるわけないでしょ!! ママには ぞうさん ついてないのよ!!
ドシュ
ドシッ
高かったのに この おバカ
ぞ〜〜
ば
ただいま――
ドキッ
どしたの? リュックなんか背負《しょ》って…… どこ行《い》くの?
家出《いえで》
な なんで…?
母《かあ》ちゃんに おこられるから…
私《わたし》がいつも すぐ怒《おこ》るから いけないんだ… だからこの子《こ》 ここまで 追《お》いこまれて…
どこへ家出《いえで》しようと 思《おも》ったの?
シロの犬小屋《いぬごや》
おバカ
ぎゅ
正直《しょうじき》に 言《い》ってごらん なにしたの? ママ怒《おこ》らないから
ほんと?
ほんとよ 正直《しょうじき》に あやまれば 許《ゆる》してあげる
ほーら ね
ぬおおおおお
ドシッ
ドシッ
おこらないって 言《い》ったのに〜っ
ドシュ
このスカートに 関《かん》しては別《べつ》よ!! しかも火《ひ》あそび したとは 許《ゆる》さーん!!

しんちゃんとママのおばかな一日編《いちにちへん》

その4

寒《さむ》いね今日《きょう》は
うん
あ 水《みず》たまりに氷《こおり》が張《は》ってるスケートしたい〜い
かこ〜〜
よ
お友《とも》だち？
ボクはそう思《おも》ってない…
おデート？ひゅーひゅー
これから英語塾《えいごじゅく》へ行《い》くところだ
ほう えいごジュクでおデートかひゅーひゅー
イラ イラ
どうしてもデートさせたいんだな

さあ風間《かざま》くん いつものように オラと 橋本聖子《はしもとせいこ》 ごっこしよう!!
な 何《なに》 言《い》ってんだよ ボクは したこと ないぞ
誤解《ごかい》だよ 麗奈《れいな》ちゃん
トオルくん…
ママのおパンツ かぶって なにやってんの
あいつとは 同《おな》じ幼稚園《ようちえん》に 行《い》ってるだけさ 友《とも》だちじゃないよ アハハハ
次《つぎ》から ちがう子《こ》と 塾《じゅく》行《い》こーっと
なんで あんな おバカなこと したの!!
スケートやりたい 年《とし》ごろだから
スケートか 久《ひさ》しぶりに やるか!!
北かすかべ スケート場
いくつ ですか？
23です
レンタル靴
あーーっ また年《とし》ごまかしてる いーけないんだ 来年《らいねん》30のくせに!!
靴《くつ》の サイズなの!!
おおっ でっかい氷《こおり》〜〜〜っ
ペロペロ ちゅばちゅば ぴちゃ
こらこら やめなさいっ まったく 意地汚《いじきた》ないん だから
パパに 似《に》て
みさえに 似《に》て

じょうずになりたかったら
パパの言《い》うことに
集中《しゅうちゅう》しろ
ほい
まず
歩行練習《ほこうれんしゅう》からだ
つま先《さき》を少《すこ》し開《ひら》いて
…
ふむふむ
おピンク
ずでっ
キャッ
どこに
集中《しゅうちゅう》しとるんじゃ
交互《こうご》に足《あし》を
すすめて行《い》く
その際《さい》 体重《たいじゅう》は…
ほうほう
やってみろ
ほい
おいおい
前《まえ》に
進《すす》めよ
お
お
お
お
がっ
くる くる
くる くる
なにいっ
4回転半《かいてんはん》!!
すたあっ
おおーっ
弟子《でし》にして
下《くだ》さい!!
私《わたし》
佐藤《さとう》きみどり
という者《もの》です
オリンピック
めざします
いや
こいつ
ただの
おバカ
ですから
北《きた》さいたま
スポーツ新聞《しんぶん》
ですが!!
彼《かれ》のお母《かあ》さま?
まあ
どうしましょ
オホホホホ
よし
れんしゅうは
さびしいぞ
この子
天才だわ
「きびしいぞ」のマチガイ

しんちゃんとママの
おばかな一日《いちにち》編《へん》

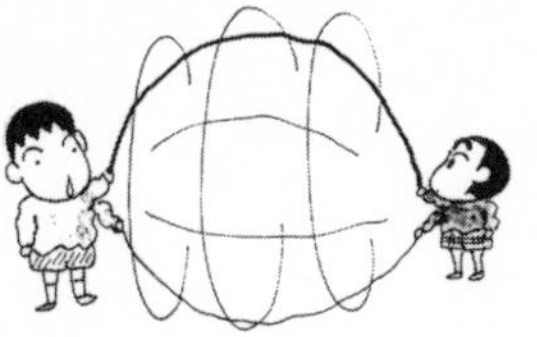

その5

今度《こんど》はどんなシールが入《はい》ってるかな ハハ
わくわく
アクション仮面キャラメル
シール付
よ マサオ いーもん持《も》ってんじゃんかよ
ぎくっ
た たけしくん…
オレもそのシール集《あつ》めてんだよ へへ
や…やだ ボクのだい
ほほう オレにさからうとはいい度胸《どきょう》だ ちょっとツラかせ
公園
ひいい～
しゅった しゅった しゅった しゅった
……
な なにやってんだ?
とぶ人《ひと》がいないなわとび
しゅった しゅった しゅった しゅった

やめろ―――っ そんな 無意味《むいみ》な あそびは やめろ―――!! なにが たのしいん だ―――っ
イラ イラ イラ
ん―――
きゅん
何《なに》 考《かんが》え てんだよ 気持《きも》ち わりーな 一瞬《いっしゅん》 ときめい ちゃった だろが―――っ
ガツンッ
つ―――
ごめんね いたかった?
よーし オレの ゆうこと きけば 許《ゆる》してやる
ほーーい
じゃ いなりずし やってみろ
いなり ずし―――
ほ～れ
なに やらすんだよぉお そーじゃなくて おまえが オレのゆうこと きくんだよぉお
なあんだ 早《はや》く言《い》えば いいのに
最初《さいしょ》に 言《い》っただろ～～～～
マサオの 持《も》ってる アクション仮面《かめん》 キャラメルの シール 取《と》って来《こ》い
びくっ
うわ～～ん
あっ にげた 追《お》え―――っ 追《お》ええ～～～っ
だい じょうぶ?
さすり さすり
その 「おえ～～～」と ちがうの
イラ イラ イラ

マサオんち知《し》ってるか?
ほい
よし 案内《あんない》しろ 先《さき》まわりして 待《ま》ちぶせてやる
じゃ 電車《でんしゃ》ごっこで 行《い》こう!!
ガタコーン ガタコーン 次《つぎ》は マサオんち前《まえ》〜 マサオんち前《まえ》〜
オレ今年《ことし》4年生《ねんせい》に なるんだよ クールな不良小学生《ふりょうしょうがくせい》 なんだよ
だから?
電車《でんしゃ》ごっこなんて やれねーっつの
じゃ ヒコーキごっこは?
ファーストクラスでも やらねえ
そこが マサオんちか?
たたた
ここネネちゃんち あれがネネちゃんのママ お便秘《べんぴ》5日目《いつかめ》
い・いつもの ママじゃな〜い
な 何《なん》で あんたが そんなこと 知《し》ってんのよ おおお
ど どーでもいいよ そんなの
今度《こんど》こそ マサオんちか
ハァ ハァ
たたた
近道《ちかみち》── こわい犬《いぬ》 いるから 気《き》をつけてね
ばう ばう ばう
わ―――っ
ウンコ ちびっちゃったぜ くそ〜〜〜
たけし
弟《おとうと》の めんどう 見《み》るように 言《い》っただろ いつも ゆーこと きかないで おまえは
ばし ばし ばし
いてーよ ゴメンなさい!! ママ〜
マサオくんちで なわとびやる?
うん

しんちゃんとママの
おばかな一日《いちにち》編《へん》
その6
アクションようち園《えん》帰《かえ》りの時間《じかん》
バス通園《つうえん》の人《ひと》は乗《の》ってねー
よしなが先生！
は～い
今《いま》しんのすけくんのお母《かあ》さんから電話《でんわ》で今日《きょう》はようち園《えん》までおむかえに来《く》るのでバスには乗《の》せなくていいそうです
はい わかりました
え?!
そんなこと言《い》ってさてはオラをゆうかいする気《き》だな
‥
ぜったいしたいと思《おも》いません
じゃあなしんのすけ
バイバーイ
みんなのことはわすれないぞー
アクションよう
ブオー
さあ 来《く》るまで先生《せんせい》と教室《きょうしつ》で待《ま》ってよか
みょうな気《き》起《お》こさないでね
あ・あのねえ…
くね
意味《いみ》わかってんの……?

じゃ先生《せんせい》が ご本《ほん》読《よ》んで あげまーす
好《す》きなの 持《も》ってきて いいわよ
わーー!!
これが いい!!
はーい
ギラギラ照《て》りつける太陽《たいよう》 夏生《なつき》の肌《はだ》がまぶしい……
岡本夏生 写真集
こーゆーご本《ほん》は ようち園《えん》に 持《も》ってきちゃ いけません
ふい
岡本夏生 写真集
じゃ これで いいや
うらしまたろう
せんせー どした?
う~ん う~ん
お おなかが 急《きゅう》に…
そーいえば オラも急《きゅう》に おなかすいたなァ
先生《せんせい》は おなか 痛《いた》いの!! すごく 痛《いた》いの!!
おねがい 誰《だれ》か 呼《よ》んできて
ほい
あいたたた
だーっ
やっぱり 男《おとこ》の子《こ》ね イザって時《とき》は たよりに なるわ
よ よしなが せんせーが 赤《あか》ちゃん 生《う》まれそーだ
ドッカン
ガラ ガラ

職員室《しょくいんしつ》
よしながせんせーがへんたいだ!!
変態《へんたい》は君《きみ》の方《ほう》でしょ
とにかく早《はや》く来《き》て
とにかくでしょ
ちょっとマジ!? だいじょうぶ?
だいじょうぶじゃないわよ いたたた
食《く》い意地《いじ》はってるから食《た》べすぎかしら
あんたといっしょにしないで
救急車《きゅうきゅうしゃ》呼《よ》ぶわ しんのすけくん よしなが先生《せんせい》のこと元気《げんき》づけてあげて
おう
よしなが先生《せんせい》ー ガンバレ オラがついてるぞ!!
じーん
あ ありがとう
れいきゅう車《しゃ》が来《く》るまでオラのチンチンおどり見《み》てお元気《げんき》出《だ》して
救急車だよ
ああ 気分《きぶん》が……
ほ~れ チンチンぶ~らぶら~
盲腸炎《もうちょうえん》ですな 入院《にゅういん》が必要《ひつよう》です
私《わたし》付《つ》き添《そ》うわ
ご実家《じっか》には連絡《れんらく》しときますから
すみません
まったく人手《ひとで》が足《た》りないってのに
早《はや》く元気《げんき》になってよね ケンカ相手《あいて》いないとさびしいからさ
まつざか先生《せんせい》……
待《ま》ちくたびれてるだろな しんちゃ……
アクション ようちえん
ピ~ポ~ピ~ポ~
あれ? いつの間《ま》に…… 君《きみ》も付《つ》き添《そ》いかい
お
ピ~ポ~ピ~ポ~
しんちゃーん 何《なに》があったの!? 待《ま》ってー!!
え!? しんのすけくんが…!?
あら~~

しんちゃんとママのおばかな一日編《いちにちへん》

その7

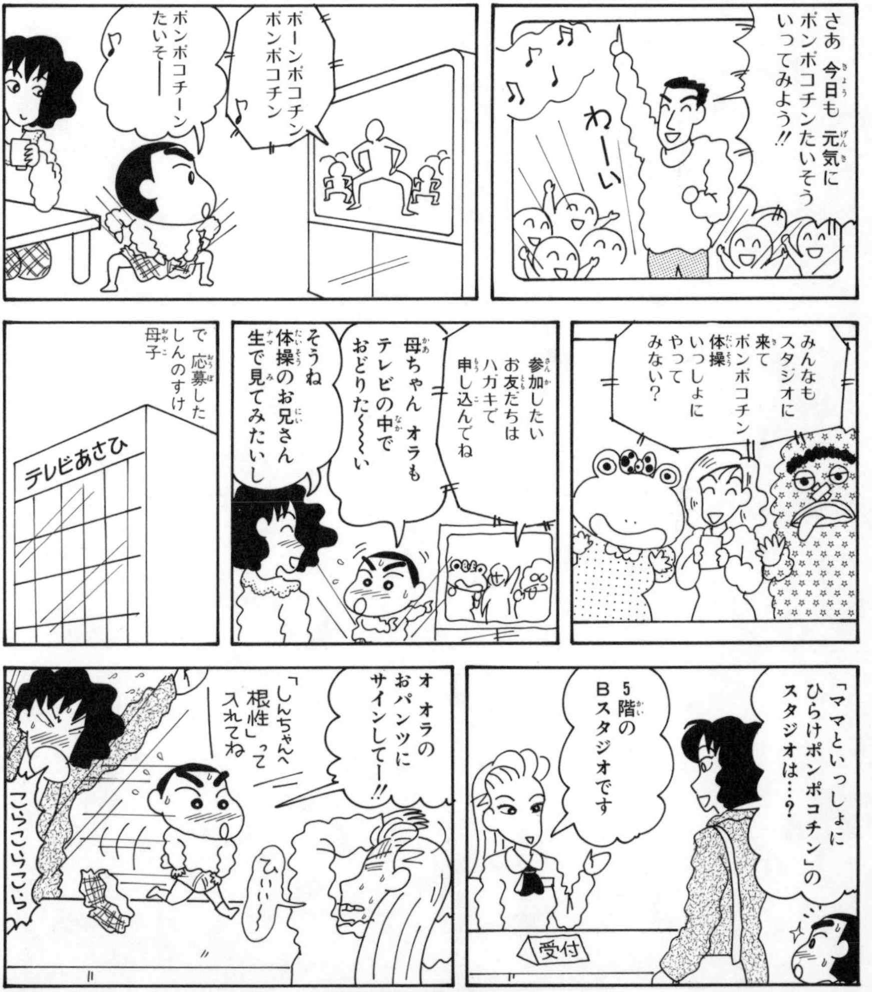
さあ 今日《きょう》も 元気《げんき》に ポンポコチンたいそう いってみよう!!
わーい
ボーンポコチン ポンポコチン
ポンポコチーン たいそ——
みんなも スタジオに 来て ポンポコチン 体操《たいそう》 いっしょに やって みない?
参加《さんか》したい お友《とも》だちは ハガキで 申《もう》し込んでね
母《かあ》ちゃん オラも テレビの中《なか》で おどりた〜〜い
そうね 体操《たいそう》のお兄《にい》さん 生《ナマ》で見《み》てみたいし
で 応募《おうぼ》した しんのすけ 母子《おやこ》
テレビあさひ
「ママといっしょに ひらけポンポコチン」の スタジオは…?
5階《かい》の Bスタジオです
受付
オ オラの おパンツに サインしてー!!
ひぃぃ〜
「しんちゃんへ 根性」って 入れてね
こらこらこら

キャッ やだ あの人《ひと》 知《し》ってる〜
パシャ パシャ
太田
おおっ テレビと同《おな》じお顔《かお》ー
おおっ 小宮悦子《こみやえつこ》!!
また「おパンツにサインして」なんて言《い》っちゃダメよ
そんなこと言《い》うわけないじゃん
オラのいなりずしにサインして〜〜
「しんちゃんへ平熱」って入れてね
Bスタジオ
ママといっしょにひらけポンポコチン
生放送《ナマほうそう》なので本番中《ほんばんちゅう》は大《おお》きな声《こえ》や音《おと》は出《だ》さないようおねがいします
本番《ほんばん》5秒前《びょうまえ》 4・3・2・1
ジャジャーン
ママといっしょにひらけポンポコチン
おねえさん オイラ今《いま》ダンス習《なら》ってるんだモコ
へぇ——おどってみせて
みせてケロ
たらら〜ん モコ〜〜 モコ〜〜〜
くるり
う…
どおだった? モコ
と とってもじょうずだったわよ〜
う・うまいケロ…
な なんだ今《いま》のは…!?

困《こま》るんですよ〜
そうだそうだ オラから目《め》を離《はな》すな!!
すみません すみません
おまえが言《い》うな
さあ 元気《げんき》に ポンポコチンたいそう いってみよう——っ
ジャジャジャジャ〜ン ジャッジャ〜ン
わーい
キリンの首《くび》は なぜ長《なが》い 考《かんが》えたって わからない はあ ポンポコチン ポンポコチン
ポンポコチン チンポコポン いえ〜い
あっ しんのすけの ズボンの ゴムが 切《き》れた
ずるる
チンポ… おわわっ
よろ
むんず
ずるっ
チンポコポーン
ぷらんっ
ポーンポコ チーン
げ〜
ネネちゃん お下品《げひん》な声《こえ》 出《だ》すんじゃありません
いったい なに見てんの?
うおおおっ しゃあああ 見たぞ〜っ
でも ちっちぇえ
いつものママじゃな〜い
ピーーーー
そのまま しばらく お待《ま》ち下《くだ》さい
その後《ご》 しんのすけ母子《おやこ》と 体操《たいそう》のお兄《にい》さんを その番組《ばんぐみ》で見《み》ることは 2度《ど》となかった

しんちゃんとママのおばかな一日《いちにち》編《へん》

その8

42号室
よしなが みどり
○山△子
ここだ
園長先生《えんちょうせんせい》みんな
いつもお世話《せわ》になってますみどりの母《はは》です
みさえの子《こ》ですこのたびはごしゅーしょーさまです
君《きみ》はだまっててね
手術《しゅじゅつ》は痛《いた》かった？
麻酔《ますい》したから平気《へいき》だったよ
あんまり美人《びじん》になってないなァしゅじゅつ失敗《しっぱい》したの？
整形手術《せいけいしゅじゅつ》じゃないっての
みどりはまじめに働《はたら》いてますか？
はい とても熱心《ねっしん》でやさしい先生《せんせい》ですよ
恋人《こいびと》とケンカしてる時《とき》はイライラしてこわい
そんな人《ひと》いるの？え？
ややだ──っいないわよそんなの
石倉三郎《いしくらさぶろう》に似《に》てるって自慢《じまん》してたくせに石田純一《いしだじゅんいち》だよ
やっぱりいるんじゃないの!!
まったくこの子ったら一度連れといで
あはは‥
オロオロ
これクラスのみんなで作《つく》ったんです
わぁ〰〰千羽鶴《せんばづる》ねありがとう
オラが作《つく》った千個《せんこ》おにぎり
ティッシュ丸《まる》めて作《つく》ったの？あ ありがと……

回診《かいしん》の時間《じかん》で――す
どうですか? キズのぐあいは?
?
おととい ころんで すりむいた所《とこ》は もう すっかり
ピリピリ
君《きみ》に聞《き》いてないって 悪《わる》いが いそがしーん だよ私《わたし》は
すみません すみません
動《うご》いたりすると まだ痛《いた》みます
まだしばらく 安静《あんせい》が必要《ひつよう》ですね
オラも かき氷《ごおり》3杯《ばい》食《た》べると おなかいたいんですけど
ピリピリ
1杯《ばい》で やめりゃ いいだろ
すみません
ちょっと トイレ
ひとりで だいじょうぶ?
平気よ
そーいえば オラも おしっこ
男便所《おとこべんじょ》は?
下《した》の階《かい》よ 女子用《じょしよう》で しちゃえば
女子トイレ
オラ 男《おとこ》らしい男《おとこ》に なりたいから 女便所《おんなべんじょ》は やだ
じゃ いってらっしゃい
ひとりじゃ こわ～～い ついてきて
男《おとこ》らしい 男《おとこ》ねえ…
ふ
へええ もれそう… もう動《うご》けない
え!? だめよ ここで もらしちゃ
だだだ
がまんして がまん
ああ…… ゆらすと
ずででで
ぬおおおおっ
足《あし》→ ふみはずした
ぶちっ
へえええええ
じわ～
キズ口《ぐち》が開《ひら》いた よしなが先生《せんせい》は 退院《たいいん》が少《すこ》しのびた

しんちゃんとママの
おばかな一日《いちにち》編《へん》

その9

アクションようちえん
職員室《しょくいんしつ》
ぬ
えーと
しんのすけくん…
おかまいなく
そうは いかない
職員室《しょくいんしつ》に入《はい》る時《とき》は なんて言《い》うんだっけ？
わすれちゃったの？ ダメだなァ 組長《くみちょう》 「失礼《しつれい》します」って 言《い》うんだよ
わかってるなら やって
ところで なんか用《よう》？
それは 先生《せんせい》のセリフです
じゃ 言《い》っていいよ
あ ありがと 「ところで 何《なに》か用《よう》？」
カンケリやるから 缶《かん》さがしに 来《き》たの!!
空《あ》き缶《かん》 全部《ぜんぶ》 ゴミの日《ひ》に 出《だ》しちゃった なァ
これで いいよ
フルーツ 缶づめ
これから お客《きゃく》さんに 出《だ》すからダメ
何《なに》かを 訴《うった》える 子供《こども》の 眼差《まなざ》し攻撃《こうげき》
そ そんな目《め》で 見《み》ないで…
キラ
キラ
キラ
フルーツ 缶づめ

ほ〜〜〜い カン もらったぞ〜
フルーツ↓空き缶
何《なに》か 食《た》べてる
だいたい 想像《そうぞう》はつく
じゃ なにやる?
何《なん》のために 行《い》ったんだよ
じゃんけん ポン
わーーい しんちゃん のオニだ
あら あら
せんせー カンケリやる?
なつかしーーー!! やるか!!
じゃんけん ホイ
わ〜い せんせーのオニ
ちぇ
あいつは これからも あんなふうに 世《よ》の中《なか》を渡《わた》って いくんだろうなァ
ふっ
カーン
わーーっ
よーーし!!
風間《かざま》くん マサオくん しんちゃん みっけ!!
だから こんなところ ダメだって 言《い》ったんだよ
おわ
走《はし》れ しんのすけ!! 先《さき》に缶《かん》を けれ!!
う〜〜〜 せんせーのが はやい〜〜〜
ホホホ〜
たたた
お
カーーン
びゅんっ

とうとう 私《わたし》を本気《ほんき》にさせてしまったわね
メラ メラ
小学校時代《しょうがっこうじだい》缶《かん》ケリ姫《ひめ》と呼《よ》ばれたこの よしながを!!
たんっ
ネネちゃん マサオくん みっけ!!
たん たん
風間《かざま》くん みっけ!!
ああっ
たんっ
ホッホッホッ 残《のこ》るは あの おかずのりまゆ毛《げ》だけだな
はっ ボーちゃんの存在《そんざい》を わすれてた
ぬぅ
コン
その後《あと》 いく度《ど》もけられる
半《はん》けつ ゲリー
はあ はあ
ぜえ ぜえ
先生《せんせい》 もう缶《かん》が ボコボコですよ やめましょーよ
もうすぐ お帰《かえ》りタイム だし~~
イラ イラ イラ
はあ はあ
まだまだ!! 全員《ぜんいん》 つかまえる まで 帰《かえ》さんぜよ!!
しんちゃん もう1缶《いっかん》 もらって おいで!!
ほい
だ だめ!! これは ぜったい だめ!!
キラ キラ キラ
最高級 カニ缶

キン
チン

しんちゃんとママのおばかな一日編《いちにちへん》

その10

いえーーい
しんちゃんバンド 1 2の3の4の5の6!!
オラの母ちゃんイライラー
それはウンコが出ないから!
お便秘お便秘~みさえのろっけんろ~
三段腹《さんだんばら》ブルース~
シャンシャン
ポクポク
やかましーっ
びくっ
おわっ
人《ひと》が昼寝《ひるね》してる時《とき》に歌《うた》うな!!
だって母《かあ》ちゃんが起《お》きてたらあんな お歌《うた》歌《うた》えない
それもそうね
じょーしきだぜオバさん
もしママに聞《き》かれてたらぜったい こうなるもんねぇ~~~~
ぐり
ぐり
ぐり
あえええ~

でも この子《こ》 けっこう歌《うた》とか 好《す》きよね 私《わたし》に似《に》て 音楽的才能《おんがくてきさいのう》が あるかも
親《おや》バカ
う〜
あ〜あ♪ 極楽とんぼよ あんた どこいった〜
将来《しょうらい》は 売《う》れっ子《こ》 シンガーかも よ――し!!
エリート養成 音楽スクール
私《わたし》 スクール代表《だいひょう》 兼《けん》 音楽家《おんがくか》のシャープ青壁《あおかべ》です よろしく
アシスタントの フラット高田《たかだ》です
オラは チョコビーしんのすけ です この人《ひと》は A《エー》カップみさえです
対抗《たいこう》せんで よろしい!!
当《とう》スクールの目的《もくてき》は 音楽界《おんがくかい》のエリート養成《ようせい》 ですから きびしいレッスンと 高《たか》い授業料《じゅぎょうりょう》は 当然《とうぜん》です
入会金も ハンパじゃ ないですよ
しんのすけが エリートに なるためだ 定期預金《ていきよきん》 解約《かいやく》してでも
最初《さいしょ》に テストして お子《こ》さんに ふさわしいコースを 決《き》めます
音感《おんかん》テスト です この音《おと》を 当《あ》ててね
ポン♪
ピアノの音《おと》
そ そうねえ ギターには 見《み》えないわよねえ
そーじゃなくて ドとかレとか 言《い》うのよ
では もう一度《いちど》
これはド? レ? それともミ?
ポン♪
おお そうかあ
ユ ユニークな お子《こ》さんですね ホホホ
ぬ
よく 言《い》われます ホホホ

次《つぎ》は リズム感《かん》テスト です 私《わたし》のやるとおりに やって下《くだ》さい
タンタン スッタタン♪ タンスタ タンタン タタン スッタン♪
おお かっこいい〜
タンバリンが 生《い》きてるみたい
たん たん た
ふ ぜんぜん リズム感《かん》ないね だめだ こりゃ
オラ これなら できる
♪ペシペシ すっペシ ペペンシペシペシ ペペンペン♪
オ オシリが 生《い》きてるみたい しかも張《は》りのある 音色《ねいろ》 かなり年季《ねんき》の 入《はい》った 音《おと》とみた
ずいぶん たたいた からなァ
よーし 私《わたし》だって!!
負《ま》けずぎらい
ぬぎ
対抗《たいこう》せんで よろしい!!
だいたい わかりました おたくの お下品《げひん》な お子《こ》さんに ふさわしいのは
天才コース 秀才コース 凡才コース
オラ おげひん? いやあ それほどでもォ
ほめられて ないっての
これですな
ま どうしようも ない子《こ》でも ウチにくれば 秀才《しゅうさい》レベル 程度《ていど》にして あげます
凡才コース 鈍才コース
べりっ
このコースは さらに割高《わりだか》です 支払《しはら》い だいじょうぶ? 入会《にゅうかい》しますか?
これが 返事《へんじ》ですわ
ジャーン
誰《だれ》が あんたの所《ところ》で世話《せわ》に なるか
おバカ ヤローッ
アークション♪ 仮面〜 正義の か〜め〜ん〜 ゴゴッゴ〜 レッツゴ〜♪
チンカン
キン

Action Comics

クレヨンしんちゃん⑤

1993年4月12日●第1刷発行……（検印廃止）
1994年1月2日●第8刷発行

著者©……臼井儀人

発行者……井上功夫

発行所……株式会社双葉社
〒162 東京都新宿区東五軒町3番28号
電話●03・5261・4818(営業)03・5261・4851(編集)
振替●東京8−117299

装　幀……関 善之✖星野ゆきお
(VOLARE INC.)

印刷所……凸版印刷株式会社

落丁・乱丁の場合は本社にてお取りかえいたします。
定価はカバーに表示してあります。

ISBN4−575−93324−4 C0079